The LITTLE BLACK BOOK of ACOUSTIC SONGS for UKULELE

Wise Publications
part of The Music Sales Group

London / New York / Paris / Sydney / Copenhagen / Berlin / Madrid / Hong Kong / Tokyo

Published by
Wise Publications
14-15 Berners Street, London W1T 3LJ, UK.

Exclusive Distributors:
Music Sales Limited
Distribution Centre, Newmarket Road,
Bury St Edmunds, Suffolk IP33 3YB, UK.
Music Sales Pty Limited
Units 3-4, 17 Willfox Street, Condell Park, NSW 2200, Australia.

Order No. AM1007402
ISBN 978-1-78305-274-5
This book © Copyright 2014 Wise Publications,
a division of Music Sales Limited.

Edited by Adrian Hopkins.
Original arrangements by Matt Cowe.
Music produced by Shedwork.com
Printed in the EU.

Your guarantee of quality:
As publishers, we strive to produce every book to the highest commercial standards.
This book has been carefully designed to minimise awkward page turns
and to make playing from it a real pleasure.
Particular care has been given to specifying acid-free, neutral-sized paper made from
pulps which have not been elemental chlorine bleached.
This pulp is from farmed sustainable forests and was produced with special regard for the environment.
Throughout, the printing and binding have been planned to ensure a sturdy,
attractive publication which should give years of enjoyment.
If your copy fails to meet our high standards, please inform us and we will gladly replace it.

www.musicsales.com

Tuning your ukulele

The ukulele is unusual among string instruments in that the strings are not tuned in order of pitch. Watch out for this!

Here are the tuning notes for a ukulele on a piano keyboard:

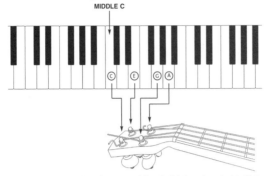

A good way to remember the notes of the ukulele's strings is this little tune:

Reading chord boxes

Chord boxes are diagrams of the ukulele neck viewed head upwards, face on as illustrated. The top horizontal line is the nut, unless a higher fret number is indicated, the others are the frets.

The vertical lines are the strings, starting from G (or 4th) on the left to A (or 1st) on the right.

The black dots indicate where to place your fingers.

Strings marked with an O are played open, not fretted. Strings marked with an X should not be played.

The curved bracket indicates a 'barre' – hold down the strings under the bracket with your first finger, using your fingers to fret the remaining notes.

N.C. = No chord.

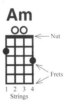

American Pie

Words & Music by Don McLean

Intro

    G   **D** **Em**   **Am**   **C**
A long, long time ago I can still remember

         Em   **D**
How that music used to make me smile.

    G   **D**   **Em**
And I knew if I had my chance

  Am   **C**
That I could make those people dance

    Em   **C**   **D**
And maybe they'd be happy for a while.

Em   **Am**   **Em**   **Am**
  But February made me shiver   with every paper I'd deliver,

C   **G**   **Am**   **C**   **D**
Bad news on the doorstep, I couldn't take one more step.

G   **D**   **Em**
I can't remember if I cried when I read about his widowed bride.

   G   **D**   **Em**   **C**   **D** **G**
And something touched me deep inside the day the music died.

So…

Chorus 1

G   **C**   **G**   **D**
Bye, bye, Miss American Pie,

       G   **C**   **G**   **D**
Drove my Chevy to the levee but the levee was dry.

       G   **C**   **G**   **D**
And them good old boys were drinkin' whiskey and rye,

      Em   **A7**
Singin' this'll be the day that I die.

Em   **D7**
This'll be the day that I die.

    G   **Am7**
Did you write the book of love

      C   **Am7**   **Em**   **D**
And do you have faith in God above,   if the Bible tells you so?

      G   **D**   **Em**   **Am7**   **C**
Now do you believe in rock and roll, can music save your mortal soul,

 Em   **A7**   **D**
And can you teach me how to dance real slow?

    Em   **D**
Well I know that you're in love with him

      Em   **D**
'Cause I   saw you dancin' in the gym.

    C   **G**   **A7**   **C**   **D7**
You both kicked off your shoes, man, I dig those rhythm and blues.

      G   **D**   **Em**
I was a lonely teenage broncin' buck

      Am7   **C**
With a pink carnation and a pickup truck.

   G   **D**   **Em**   **C**   **D7**   **G**   **C**
But I knew I was out of luck the day the music died.

G   **D**
I started singing…

    As Chorus 1

         G   **Am7**
Now, for ten years we've been on our own

    C   **Am7**   **Em**   **D**
And moss grows fat on a rolling stone but that's not how it used to be.

       G   **D**   **Em**
When the jester sang for the King and Queen

  Am7   **C**
In a coat he borrowed from James Dean,

    Em   **A7**   **D**
And a voice that came from you and me.

      Em   **D**
Oh, and while the King was looking down

    Em   **D**
The jester stole his thorny crown,

    C   **G**   **A7**   **C**   **D7**
The courtroom was adjourned, no verdict was returned.

    G   **D**   **Em**   **Am7**   **C**
And while Lennon read a book on Marx, the quartet practiced in the park,

    G   **D**   **Em**   **C**   **D7**   **G**   **C**
And we sang dirges in the dark the day the music died.

G   **D**
We were singing…

Verse 3
    G   **Am7**
Helter-skelter in a summer swelter,
        C   **Am7**
The Byrds flew off with a fallout shelter.
Em   **D**   **G**   **D**   **Em**
  Eight miles high and fallin' fast, it landed foul out on the grass,
      Am7   **C**
The players tried for a forward pass
        Em   **A7**   **D**
With the jester on the sidelines in a cast.
        Em   **D**
Now the half-time air was sweet perfume
          Em   **D**
While the sergeants played a marching tune.
C   **G**   **A7**   **C**   **D7**
We all got up to dance, oh, but we never got the chance.
          G   **D**   **Em**
'Cause the players tried to take the field,
     Am7   **C**   **G**   **D**   **Em**
The marching band refused to yield, do you recall what was revealed
     C   **D7**   **G** **C G**   **D**
The day the music died?   We started singin'…

Verse 4
     G   **Am7**
Oh, and there we were all in one place,
     C   **Am7**   **Em**   **D**
A generation lost in space with no time left to start again.
        G   **D**   **Em**
So come on, Jack be nimble, Jack be quick,
Am7   **C**   **Em**   **A7**   **D**
Jack Flash sat on a candlestick 'cause fire is the devil's only friend.
     Em   **D**
Oh, and as I watched him on the stage
     Em   **D**
My hands were clenched in fists of rage.
C   **G**   **A7**   **C**   **D7**
No angel born in hell could break that Satan's spell.
        G   **D**   **Em**
And as the flames climbed high into the night
     Am7   **C**   **G**   **D**   **Em**
To light the sacrificial rite, I saw Satan laughing with delight,
      C   **D7**   **G** **C G**   **D**
The day the music died.   He was singin'…

As Chorus 1

Verse 5

     G   **D**   **Em**   **Am**   **C**
   I met a girl who sang the blues and I asked her for some happy news,

    Em   **D**
But she just smiled and turned away.

G   **D**   **Em**
I went down to the sacred store

G   **Am**   **G C**
   Where I'd heard the music years before

      Em   **C**   **D**
But the man there said the music wouldn't play.

     Em   **Am**
And in the streets the children screamed,

     Em   **Am**
The lovers cried and the poets dreamed

C   **G**   **Am**   **G**   **C**   **Am**
   But not a word was spoken, the church bells all were broken.

       G   **D**   **Em**
And the three men I admire most,

G   **Am**   **D**
   The Father, Son and the Holy Ghost,

G   **D**   **Em**   **C**   **D**   **G**
They caught the last train for the coast, the day the music died.

And they were singin'....

As Chorus 1

Chorus 7

                      G   **C**   **G**   **D**
They were singin', Bye, bye, Miss American Pie,

         G   **C**   **G**   **D**
Drove my Chevy to the levee but the levee was dry.

        G   **C**   **G**   **D**
And them good old boys were drinkin' whiskey and rye,

       C   **D**   **G C G**
Singin' this'll be the day that I die.

Angie

Words & Music by Mick Jagger & Keith Richards

Intro | Am Am⁷ Am | E⁷ | Gsus⁴ Fsus⁴ F | F Csus⁴ C G ‖

Verse 1

Am   E⁷
 Angie, Angie,

G Gsus⁴   G   Fsus⁴ F   C Csus⁴ C G
 When will those clouds all disappear?_____

Am   E⁷
 Angie, Angie,

G Gsus⁴   G Fsus⁴ F   Csus⁴ C
 Where will it lead us from here?____

Chorus 1

          G
With no lovin' in our souls

        Dm   Am
And no money in our coats,

C   F   G
 You can't say we're satisfied.

Am   E⁷
Angie, Angie,

G Gsus⁴   G   Fsus⁴ F Fsus² F Csus⁴ C Csus² C G
 You can't say   we nev - er tried._____

Verse 2

Am   E⁷
Angie, you're beautiful, yeah,

G Gsus⁴ G   Gsus⁴ Fsus⁴ F Fsus² F   Csus⁴ C Csus² C G
 But ain't it   time we said   goodbye?_____

Am   E⁷
 Angie, I still love you,

G Gsus⁴   G Fsus⁴ F   Fsus² F Csus⁴ C Csus² C
 Remember all   those nights we cried._____

Chorus 2

        G
All the dreams we held so close

        Dm   **Am**
Seemed to all go up in smoke.

C   **F**   **G**
  Let me whisper in your ear,

Am   **E7**
"Angie, Angie,

G Gsus4   **G Fsus4 F Fsus2 F**   **Csus4 C Csus2 C G**
 Where will it lead us_____ from here?"_____

Instrumental 1 | **Am** | **E7** | **Gsus4 G Gsus4 G Fsus4 F Fsus2 F** |

            | **Csus4 C Csus2 C G** | **Am** | **E7** |

            | **Gsus4 G Fsus4 F** | **Csus4 C Csus2 C G**   ‖

Chorus 3

        G
Oh, Angie don't you weep,

        Dm   **Am**
All your kisses, they'll taste sweet,

C   **F**   **G**
  I hate that sadness in your eyes.

     Am   **E7**
But Angie, Angie,

G Gsus4 G Fsus4 F **Fsus2 F**   **Csus4 C Csus2 C G**
 Ain't it time we said   goodbye?_____

Instrumental 2 | **Am** | **E7** | **G Gsus4 G Fsus4 F Fsus2 F** |

            | **Csus4 C Csus2 C** ‖

Chorus 4

        G
With no lovin' in our souls

        Dm   **Am**
And no money in our coats,

C   **F**   **G**
  You can't say we're satisfied.

Bridge

Dm   **Am**
But Angie, I still love you baby,

Dm   **Am**
Everywhere I look I see your eyes.

Dm   **Am**
There ain't a woman that comes close to you,

C   **F**   **G**
Come on baby dry your eyes.

Verse 3

Am **E7**
Angie, Angie,

G Gsus 4 G Fsus4 F Fsus2 F Csus4 C Csus2 C G
Ain't it good to be a - live?_____

Am **E7**
Angie, Angie,

G Gsus4 G Fsus4 F Fsus2 F Csus4 C Csus2 C
They can't say we ne - ver tried._____

12

Army Dreamers

Words & Music by Kate Bush

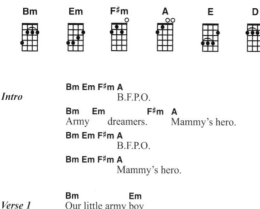

Intro

Bm Em F♯m A
   B.F.P.O.

Bm Em   F♯m A
Army dreamers. Mammy's hero.

Bm Em F♯m A
   B.F.P.O.

Bm Em F♯m A
   Mammy's hero.

Verse 1

Bm   Em
Our little army boy

 F♯m   A
Is coming home from B.F.P.O.

Bm   Em
 I've a bunch of purple flowers

 F♯m A
To decorate a mammy's hero.

Bm   Em
 Mourning in the aerodrome,

 F♯m   A
The weather warmer, he is colder.

Bm   Em
 Four men in uniform

 F♯m   A
To carry home my little soldier.

Chorus 1

Bm
What could he do?

E   **D**
Should have been a rock star.

               F♯m   **Bm**
But he didn't have the money for a guitar.

What could he do?

E   **D**
Should have been a poli - tician.

               F♯m   **Bm**
But he never had a proper edu - cation.

What could he do?

E   **D**
Should have been a fa - ther.

               F♯m   **Bm**
But he never even made it to his twenties.

Link 1

D
What a waste

G   **Bm**
Army dreamers.

G   **D**
   Ooh, what a waste of

G   **Bm**   **G**
Army dreamers.

Verse 2

Bm   **Em**
Tears o'er a tin box.

     F♯m   **A**
Oh, Jesus Christ, he wasn't to know,

Bm   **Em**
  Like a chicken with a fox,

     F♯m   **A**
He couldn't win the war with ego.

Bm   **Em**
  Give the kid the pick of pips,

     F♯m   **A**
And give him all your stripes and ribbons.

Bm   **Em**
  Now he's sitting in his hole,

     F♯m   **A**
He might as well have buttons and bows.

As Chorus 1

Link 2

D
What a waste

G   **Bm**
Army dreamers.

G   **D**
   Ooh, what a waste of

G   **Bm**   **G**
Army dreamers.

G   **D/F♯**
   Ooh, what a waste of all that

G   **Bm**
Army dreamers,

G   **Bm**
Army dreamers,

G   **Bm**   **G** **Bm** | **N.C.** | **N.C.** | **N.C.** |
Army dream - ers, oh...

Outro

Bm   **Em**   **F♯m** **A**
   Did-n-did-n-did-n-dum...   B.F.P.O.

Bm   **Em**   **F♯m A**
   Army   dreamers.   Mammy's hero.

Bm Em F♯m A
            B.F.P.O.

Bm   **Em**   **F♯m A**
   Army   dreamers.   Mammy's hero.

Bm Em F♯m A
            B.F.P.O.

Bm   **Em**   **F♯m A**
   No harm   heroes.   Mammy's hero.

Bm Em F♯m A
            B.F.P.O.

Bm   **Em**   **F♯m A**
   Army   dreamers.   Mammy's hero.

Bm Em F♯m A
            B.F.P.O.

Bm   **Em**
   No harm   heroes. *To fade*

Babylon

Words & Music by David Gray

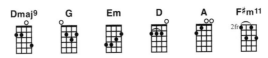

Dmaj9   G   Em   D   A   F#m11

To match original recording tune ukulele up one semitone

Intro   ‖: Dmaj9 | G | Dmaj9 | G :‖

Verse 1

Dmaj9
Friday night an' I'm going nowhere,

G   Dmaj9   G
All the lights are changing green to red.

Dmaj9
Turning over T.V. stations,

G   Dmaj9   G
Situations running through my   head.

Dmaj9
Looking back through time, you know,

   G   Dmaj9   G
It's clear that I've been blind, I've been a fool

      Dmaj9   G
To open up my heart to all that jealousy,

             Dmaj9   G   Em
That bitterness, that   ridicule.

Verse 2

Dmaj9
Saturday I'm running wild

      G   Dmaj9   G
An' all the lights are changin', red to green.

Dmaj9
Moving through the crowds, I'm pushin',

G   Dmaj9   G
Chemicals are rushing in my bloodstream.

cont.

        Dmaj⁹
Only wish that you were here,

              G   **Dmaj⁹**   **G**
You know I'm seein' it so clear; I've been afraid

        Dmaj⁹
To show you how I really feel,

      G   **Dmaj⁹**   **G**
Admit to some of those bad mistakes I've made.

Chorus 1

D   **A**   **Em**   **F♯m¹¹**
And if you want it, come an' get it, for cryin' out loud.

D   **A**   **Em**   **G**
The love that I was givin' you was never in doubt.

D   **A**   **Em**   **A**
Let go of your heart, let go of your head, and feel it now.

D   **A**   **Em**   **A**
Let go of your heart, let go of your head, and feel it now.

        Dmaj⁹   **G**
Babylon,

        Dmaj⁹   **G**
Babylon,

        Dmaj⁹   **G**   **Dmaj⁹**   **G**
Babylon.

Verse 3

Dmaj⁹   **G**
Sunday, all the lights of London shining,

        Dmaj⁹   **G**
Sky is fading red to blue.

Dmaj⁹
  Kickin' through the autumn leaves

    G   **Dmaj⁹**   **G**
And wonderin' where it is you might be going to.

Dmaj⁹
Turnin' back for home, you know,

    G   **Dmaj⁹**   **G**
I'm feeling so alone, I can't believe.

Dmaj⁹   **G**
Climbin' on the stair I turn around

                        Dmaj⁹   **G**
To see you smiling there in front of me.

Chorus 2

D   A   Em   F#m11
And if you want it,   come and get it,   for crying out loud,

D   A   Em   G
The love that I was giving you was never in doubt.

D   A   Em   A
Let go of your heart, let go of your head, and feel it now.

D   A   Em   A
Let go of your heart, let go of your head, and feel it now.

Chorus 3

D   A   Em   A
Let go of your heart, let go of your head, and feel it now.

D   A   Em   A
Let go of your heart, let go of your head, and feel it now.

     Dmaj9   G
Babylon,

     Dmaj9   G
Babylon,

     Dmaj9   G
Babylon,

     Dmaj9   G
Babylon,

     Dmaj9   G   Dmaj9
Babylon.

The Boy With The Thorn In His Side

Words & Music by Morrissey & Johnny Marr

C   D   Dsus2   G   Am7   Dsus4

To match original recording tune ukulele slightly sharp

Intro
C	C D Dsus2 D	C	C D Dsus2 D
C	C	Dsus4	Dsus2 D
G	G

Verse 1

      D   Am7
The boy with the thorn in his side,

      C   D
Behind the hatred there lies

G   D   Am7 C
A murderous desire   for love.

Dsus4 D   Dsus2 D G   D
      How can   they look into my eyes,

                Am7   C
And still they don't believe me?

Dsus4 D   Dsus2 D G   D
      How can   they hear me say those words,

                Am7   C
And still they don't believe me?

      Dsus4 D   Dsus2 D G   D
And if   they don't believe me now,

            Am7
Will they ever believe me?

      Dsus4 D   Dsus2 D G   D
And if   they don't believe me now,

                Am7
Will they ever, they ever believe me?

C   Dsus4 D Dsus2   D
Oh, oh, oh.

19

Instrumental 1

C		C D Dsus2 D	C		C D Dsus2 D
C		C		Dsus4	Dsus2 D
G		G		

Verse 2

      D   **Am7**
The boy with the thorn in his side,

         C   **D**
Behind the hatred there lies

G   **D**   **Am7** **C**
A plundering desire   for love.

Dsus4 D   **Dsus2 D** **G**   **D**
    How can   they see the love in our eyes,

                  Am7
And still they don't believe us?

C   **Dsus4 D** **G**
  And after all   this time,

D   **Am7**   **C**
  They don't want to believe us.

    Dsus4 D   **Dsus2 D** **G**   **D**
And if   they don't be - lieve us now,

       Am7   **C**
Will they ever believe us?

    Dsus4 D   **Dsus2 D** **G**
And when you want to live,

How do you start?

D
Where do you go?

Am7
Who do you need to know?

C   **Dsus4 D**   **Dsus2 D**
Oh, oh, oh…

Instrumental 2 | C | | C D Dsus² D | C | | C D Dsus² D |
Oh…
| C | | C | | Dsus⁴ | Dsus² D |
| G | | G | ‖

Instrumental 3 ‖: Dsus⁴ | Dsus⁴ D Dsus² D | Am⁷ | Am⁷ |
| C | | C D Dsus² D | G | G |
| Dsus⁴ | Dsus⁴ D Dsus² D | Am⁷ | Am⁷ |
| C | | C D Dsus² D | G | G :‖

Repeat to fade

Blue Jeans

Words & Music by Emile Haynie, Elizabeth Grant & Daniel Heath

Fm   E♭   B♭

Intro | Fm | E♭ | B♭ | B♭ |

Verse 1

Fm
Blue jeans,   E♭ white shirt

B♭
Walked into the room you know you made my eyes burn.

Fm
It was like, James Dean,   E♭ for sure,

B♭
You're so fresh to death and sick as ca-cancer.

Fm   E♭
You were sort of punk rock, I grew up on hip hop,

B♭
But you fit me better than my favourite sweater, and I know

Fm   E♭
That love is mean,   and love hurts,

B♭
But I still remember that day we met in December, oh baby.

Chorus 1

Fm   E♭   B♭
I will love you till the end of time,

Fm
I would wait a million years.

E♭   B♭
Promise you'll re - member that you're mine,

Fm
Baby, can you see through the tears?

E♭
Love you more   than those bitches before,

B♭   Fm
Say you'll remember, (oh baby) say you'll remember, (oh baby, hoo)

E♭   B♭
I will love you till the end of time.

Verse 2   **Fm**   **E♭**
                Big dreams, gangster,
             B♭
             Said you had to leave to start your life over.
                Fm   **E♭**
             I was like, "No please,   stay here,
             B♭
             We don't need no money, we can make it all work."
                   Fm   **E♭**
             But he headed out on Sunday, said he'd come home Monday,
             B♭
             I stayed up waitin', anticipatin', and pacin',
                     Fm   **E♭**
             But he was chasing paper.
             B♭
             "Caught up in the game." - that was the last I heard.

Chorus 2   As Chorus 1

             Fm
Bridge   You went out every night and baby that's all right,
                                                              E♭
             I told you that no matter what you did I'd be by your side.

             'Cause I'mma ride or die whether you fail or fly,

             Well shit, at least you tried.
                                    Fm
             But when you walked out that door, a piece of me died,

             I told you I wanted more, but that's not what I had in mind.
                           E♭
             I just want it like be - fore.

             We were dancing all night, then they took you away,
                                              N.C.
             Stole you out of my life, you just need to re - member…

Chorus 3   As Chorus 1

23

Boulder To Birmingham

Words & Music by Bill Danoff & Emmylou Harris

To match original recording tune ukulele up one semitone

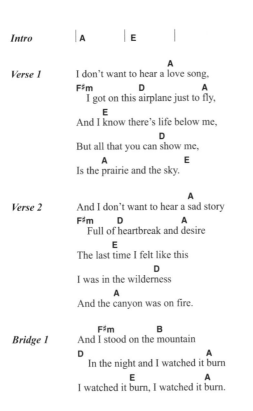

Intro | A | E | |

Verse 1
                       A
I don't want to hear a love song,
F♯m   **D**   **A**
   I got on this airplane just to fly,
       E
And I know there's life below me,
               D
But all that you can show me,
     A   **E**
Is the prairie and the sky.

Verse 2
                     A
And I don't want to hear a sad story
F♯m   **D**   **A**
   Full of heartbreak and desire
      E
The last time I felt like this
          D
I was in the wilderness
      A
And the canyon was on fire.

Bridge 1
      F♯m   **B**
And I stood on the mountain
D   **A**
   In the night and I watched it burn
           E   **A**
I watched it burn, I watched it burn.

| | **D**   **A** |
| *Chorus 1* | I would rock my soul in the bosom of Abraham, |

Chorus 1

                        D   **A**
I would rock my soul in the bosom of Abraham,
                       D   **A**
I would hold my life in his saving grace.
                 D   **A**
I would walk all   the way from Boulder to Birmingham,
                       E   **A**   **E**
If I thought I could see, I could see your face.

Verse 3

                             A
Well you really got me this time,
               F#m   **D**   **A**
And the hardest part is knowing I'll survive.
               E
I've come to listen for the sound,
                       D
Of the trucks as they move down,
             A
Out on ninety-five.

Bridge 2

               F#m   **B**
And pretend that it's the ocean,
D   **A**   **E**
  Coming down to wash me clean, to wash me clean.
                       A
Baby do you know what I mean?

Chorus 2

                        D   **A**
I would rock my soul in the bosom of Abraham,
                       D   **A**
I would hold my life in his saving grace.
                 D   **A**
I would walk all   the way from Boulder to Birmingham,
                       E   **A**
If I thought I could see, I could see your face.
                       E   **A**
If I thought I could see, I could see your face.

| **E** | **A** | |

Broken Strings

Words & Music by James Morrison, Fraser T. Smith & Nina Woodford

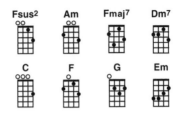

Fsus2 Am Fmaj7 Dm7

C F G Em

To match original recording tune ukulele up one semitone

Intro | Fsus2 ‖

Verse 1

    Am
Let me hold you for the last time,

    Fmaj7
It's the last chance to feel again.

    Am   **Fmaj7**   **Dm7**
But you broke me, now I can't feel any - thing.

    Am
When I love you and so untrue,

 Fmaj7
I can't even convince myself.

     Am   **C**   **F**   **Dm7**
When I'm speaking it's the voice of someone else.

Pre-chorus 1

 (Dm7) F   **G**   **Am**
Oh, it tears me up,

  F   **G**   **Em**
I tried to hold on but it hurts too much.

  F   **G**   **Em**
I tried to for - give but it's not enough,

    F
To make it all okay.

Chorus 1	Em Dm7 Am

Chorus 1

Em   Dm7   Am
You can't play our broken strings,
            C   G
You can't feel any - thing,
            Dm7   Am
That your heart don't want to feel.
         C   G
I can't tell you something that ain't real.
          F   Am
Oh, the truth hurts and lies worse,
C   G
How can I give any - more,
          Dm7   Am   G
When I love you a little less than be - fore?

Verse 2

     (G)   Am
Oh, what are we doing?
         Fmaj7
We are turning into dust,
         Am   Fmaj7 Dm7
Playing house in the ruins of us.
         Am
Running back through the fire,
        Fmaj7
When there's nothing left to save.
        Am   C
It's like chasing the very last train,
            F   Dm7
When it's too late, too late.

Pre-chorus 2   As Pre-chorus 1

Chorus 2   As Chorus 1

Bridge

     (G)   F   Am
But we're running through the fire,
         C   F
When there's nothing left to save.
            Am
It's like chasing the very last train,
        C   Em
When we both know it's too late, too late.

Chorus 3

     (Em)   Dm7   Am
You can't play our broken strings,

         C   G
You can't feel any - thing,

        Dm7   Am
That your heart don't want to feel.

      C   G
I can't tell you something that ain't real.

       F   Am
Oh, the truth hurts and lies worse,

C   G
How can I give any - more,

      Dm7   Am   G
When I love you a little less than be - fore?

          Dm7   Am   G
Oh, you know that I love you a little less than be - fore.

Outro

 (G) Am   C
Let me hold you for the last time,

    G   F
It's the last chance to feel a - gain.

Dog Days Are Over

Words & Music by Florence Welch & Isabella Summers

G   Am   Em

Intro | G | G | G | G |

         | G | Am | Em | Em   ‖

                   G   **Am   Em**

Verse 1   Happiness hit her like a train on a track,_____

                  G   **Am   Em**

          Coming towards her, stuck still no turning back._____

                    G

          She hid around corners and she hid under beds,

                               Am   Em

          She killed it with kiss - es and from it she fled.

                    G

          With every bubble she sank with her drink,

                         Am   **Em**

          And washed it a - way down the kitchen sink.

                    G

Chorus 1   The dog days are over,

          The dog days are done.

                         Am

          The horses are coming,

              Em

          So you better run.

Verse 2

     G

Run fast for your mother, run fast for your father,

Run for your children, for your sisters and brothers.

               Am

Leave all your loving, your loving behind,

      Em

You can't carry it with you if you want to survive.

Chorus 2

     G

The dog days are over,

The dog days are done.

            Am

Can you hear the hor - ses?

     Em   **G**

'Cause here they come.

Verse 3

G   **Am**   **Em**

And I never wanted anything from you,

      G   **Am**   **Em**

Except everything you had and what was left after that too, oh.

G   **Am Em**

  Happiness hit her like a bullet in the head,_____

G

  Struck from a great height,

                     Am   **Em**

By someone who should know bet - ter than   that.

Chorus 3   As Chorus 2

Verse 4   As Verse 2

Chorus 4

     G

The dog days are over,

The dog days are done.

            Am

Can you hear the hors - es?

     Em

'Cause here they come.

Chorus 5

G
The dog days are over,

Em
The dog days are done.

G
The horses are coming,

Am   Em
So you better run.

Chorus 6

G
The dog days are over,

Am   Em
The dog days are done.

G
The horses are coming,

Am   Em G
So you better run._____

Brothers In Arms

Words & Music by Mark Knopfler

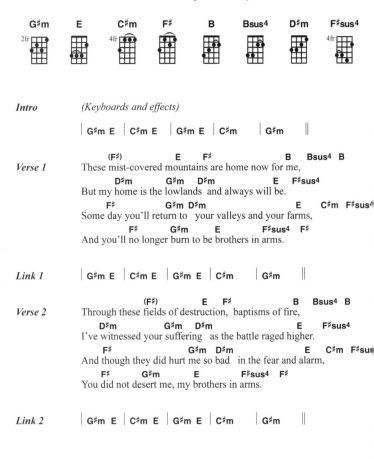

G#m   E   C#m   F#   B   Bsus4   D#m   F#sus4

Intro   *(Keyboards and effects)*

| G#m E | C#m E | G#m E | C#m | G#m ‖

           (F#)   E   F#   B   Bsus4   B

Verse 1   These mist-covered mountains are home now for me,

         D#m   G#m   D#m   E   F#sus4

But my home is the lowlands   and always will be.

      F#   G#m D#m   E   C#m   F#sus4

Some day you'll return to   your valleys and your farms,

        F#   G#m   E   F#sus4   F#

And you'll no longer burn to be brothers in arms.

Link 1 | G#m E | C#m E | G#m E | C#m | G#m ‖

           (F#)   E   F#   B   Bsus4   B

Verse 2   Through these fields of destruction,   baptisms of fire,

         D#m   G#m   D#m   E   F#sus4

I've witnessed your suffering   as the battle raged higher.

      F#   G#m D#m   E   C#m   F#sus4

And though they did hurt me so bad   in the fear and alarm,

       F#   G#m   E   F#sus4   F#

You did not desert me, my brothers in arms.

Link 2 | G#m E | C#m E | G#m E | C#m | G#m ‖

Bridge

G#m   F#   G#m
There's so many different worlds,
F#   B   E   F#sus4
So many different suns,
      F#   G#m
And we have just one world,
F#   B   E
But we live in different ones.

Solo 1

| G#m E | C#m E | G#m E | C#m |

| G#m E | C#m E F#| G#m E | C#m | G#m ||

Verse 3

        F#   E   F#   B   Bsus4 B
Now the sun's gone to hell,   and the moon's riding high.
        D#m   G#m D#m   E   F#sus4
Let me bid you farewell,   every man has to die.
        F#   G#m D#m   E   C#m F#sus4
But it's written in the star-light, in every line in your palm,
        F#   G#m   E   F#sus4 F#
We're fools to make war on our brothers in arms.

Solo 2

|: G#m E | C#m E | G#m E | C#m | .

| G#m E | C#m E F#| G#m E | C#m :| *Play 4 times then fade*

Chasing Cars

Words & Music by Paul Wilson, Gary Lightbody,
Jonathan Quinn, Nathan Connolly & Tom Simpson

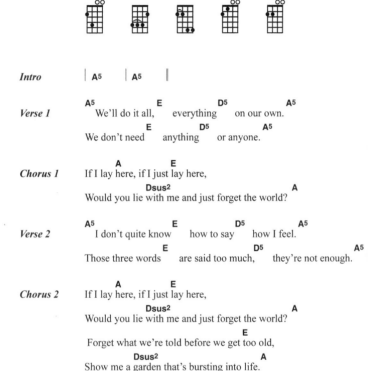

A5   E   D5   A   Dsus2

Intro | A5 | A5 |

Verse 1
     A5   E   D5   A5
    We'll do it all,   everything   on our own.
              E   D5   A5
    We don't need   anything   or anyone.

Chorus 1
         A   E
    If I lay here, if I just lay here,
         Dsus2   A
    Would you lie with me and just forget the world?

Verse 2
    A5   E   D5   A5
    I don't quite know   how to say   how I feel.
                E   D5   A5
    Those three words   are said too much,   they're not enough.

Chorus 2
         A   E
    If I lay here, if I just lay here,
         Dsus2   A
    Would you lie with me and just forget the world?
                         E
    Forget what we're told before we get too old,
         Dsus2   A
    Show me a garden that's bursting into life.

	A5	E	D5	A5
Verse 3	Let's waste time	chasing cars	around our heads.	

	E	D5	A5
I need your grace	to remind me	to find my own.	

Chorus 3

               A   **E**
If I lay here, if I just lay here,

        Dsus2   **A**
Would you lie with me and just forget the world?

                      E
Forget what we're told before we get too old,

        Dsus2   **A**
Show me a garden that's bursting into life.

Bridge 1

                      E
All that I am, all that I ever was

        Dsus2   **A**
Is here in your perfect eyes, they're all I can see.

                  E
I don't know where, confused about how as well,

        Dsus2   **A**
Just know that these things will never change for us at all.

Chorus 4

      A5   **E**
If I lay here, if I just lay here,

        D5   **A5**
Would you lie with me and just forget the world?

Come On Eileen

Words & Music by Kevin Rowland, James Paterson & Kevin Adams

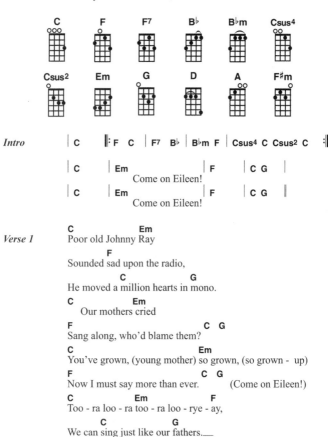

Intro | C | : F C | F7 Bb | Bbm F | Csus4 C Csus2 C | :|

| C | Em | F | C G |

Come on Eileen!

| C | Em | F | C G |

Come on Eileen!

Verse 1

C   Em
Poor old Johnny Ray

     F
Sounded sad upon the radio,

     C   G
He moved a million hearts in mono.

C   Em
  Our mothers cried

F   C G
Sang along, who'd blame them?

C   Em
You've grown, (young mother) so grown, (so grown - up)

F   C G
Now I must say more than ever.   (Come on Eileen!)

C   Em   F
Too - ra loo - ra too - ra loo - rye - ay,

       C   G
We can sing just like our fathers.___

Chorus 1

```
D                        A
Come on Eileen! Woah, I swear (what he means)
      Em               G      A
At this moment, you mean every - thing
      D                    A
With you in that dress, my thoughts (I confess)
        Em
Verge on dirty,
          G      A
Ah, come on Eil - een!
```

Link 1

```
| A      | A      |        |

| C      | Em          | F      | C   G ‖
            Come on Eileen!
```

Verse 2

```
C                    Em
These people round here
          F
Wear beaten down eyes, sunk in smoke dried faces,
          C                G
They're re - signed to what their fate is.
      C
But not us, (no never)
      Em
No not us (no never).
F                                 C   G
We are far too young and clever.        (Remember)
C             Em              F
Too - ra loo - ra too - ra loo rye - ay,
              C                G
Eileen, I'll hum this tune for - ever.
```

Chorus 2

   D   **A**
Come on Eileen! Woah, I swear (what he means)

        Em   **G**   **A**
Ah come on, let's take off every - thing

   D   **A**
That pretty red dress, Ei - leen (tell him yes)

        Em   **G**   **A**
Ah, come on let's! Ah come on Ei - leen!

   D   **A**
That pretty red dress, Ei - leen (tell him yes)

        Em   **G**   **A**   **D**
Ah, come on let's! Ah come on Ei - leen, please.

Bridge 1

D   **F♯m**
(Come on! Eileen, ta - loo - rye - ay,)

                            G
(Come on! Eileen, ta - loo - rye - ay.)

Now you have grown,

Now you have shown,

D   **A**
Oh, Ei - leen.

   D
Say, come on Eileen,

                         F♯m
These things they are real and I know

How you feel

G
Now I must say more than ever,

D   **A**
    Things round here have changed.

   D   **F♯m**   **G**
I say, too - ra - loo - ra, too - ra - loo - rye - ay.

                           D **A**
(Too - ra too - ra ta - roo - la)

Chorus 3

    D   **A**
Come on Eileen! Oh, I swear (what he means)

        Em   **G**   **A**
At this moment, you mean every - thing

    D   **A**
With you in that dress, my thoughts (I confess)

        Em
Verge on dirty,

       G   **A**
Ah, come on Ei - leen!

Chorus 4

       D
‖: Ah, come on Eileen!

    A
Oh, I swear (what he means)

    E   **G**   **A**
At this moment, you mean every - thing

D   **A**
You in that dress, my thoughts (I confess)

    Em
Well, they're dirty

   G   **A**
Come on Ei - leen! :‖ *Repeat to fade ad lib.*

Cosmic Dancer

Words & Music by Marc Bolan

Verse 1

G   Em
I was dancing when I was twelve.

G   Em
I was dancing when I was twelve.

F   C
I was dancing when I was oh.____

F   C
I was dancing when I was oh.____

Verse 2

G   Em
I danced myself right out the womb.

G   Em
I danced myself right out the womb.

F   C
Is it strange to dance so soon?

F   C
I danced myself right out the womb.

Verse 3

G   Em
I was dancing when I was eight.

G   Em
I was dancing when I was eight.

F   C
Is it strange to dance so late?

F   C
Is it strange to dance so late?

Bridge 1

Am D
Oh, oh, oh, oh.

Verse 4

     G   **Em**
I danced myself into the tomb.

     G   **Em**
I danced myself into the tomb.

     F   **C**
Is it strange to dance so soon?

     F   **C**
I danced myself into the tomb.

Verse 5

     G   **Em**
Is it wrong to under - stand

     G   **Em**
The fear that dwells inside a man?

     F   **C**
What's it like to be a loon?

     F   **C**
I liken it to a bal - loon.

Bridge 2

Am D
Oh, oh, oh, oh.

Verse 6

     G   **Em**
I danced myself out of the womb.

     G   **Em**
I danced myself out of the womb.

     F   **C**
Is it strange to dance so soon?

     F   **C**
I danced myself into the tomb,

And then again once more.

Verse 7

     G   **Em**
I danced myself out of the womb.

     G   **Em**
I danced myself out of the womb.

     F   **C**
Is it strange to dance so soon?

     F   **C**
I danced myself out of the womb.

Bridge 3

Am D
Oh, oh, oh, oh.

Outro

‖: **G** | **G** | **Em** | **Em** :‖ *Play 11 times*

| **G**   ‖

Coyote

Words & Music by Joni Mitchell

C(add9)   G7sus4   E♭sus2   Gsus2/4   G   Fsus2/4   F

Intro   ‖: C(add9) | C(add9) G7sus4 | C(add9) | C(add9) G7sus4 :‖

Verse 1

E♭sus2
No regrets Coyote,

G7sus4
We just come from such different sets of circumstance,

C(add9)
I'm up all night in the studios

                 Gsus2/4   G
And you're up early on your ranch.

Fsus2/4   F
You'll be brushing out a brood mare's tail

Fsus2/4   F
While the sun is a - scending,

       Fsus2/4   C(add9)
And I'll just be   getting home with my reel to reel.

E♭sus2
There's no comprehending

G7sus4
Just how close to the bone and the skin

       C(add9)
And the eyes and the lips you can get

Gsus4   G
And still feel so a - lone

Fsus2/4   F
And still feel re - lated,

Fsus2/4   F
Like stations in some relay.

cont.

        C(add9)
You're not a hit and run driver, no, no,

E♭sus2
  Racing away,

G7sus4
  You just picked up a hitcher,

                  (C(add9))
A prisoner of the white lines on the freeway.

Link 1

‖: C(add9) |C(add9) G7sus4 |C(add9) |C(add9) G7sus4 :‖

Verse 2

E♭sus2
  We saw a farmhouse burning down

G7sus4
  In the middle of nowhere, in the middle of the night.

C(add9)
  And we rolled right past that tragedy,

Gsus2/4   G
  Till we turned into some roadhouse lights

    Fsus2/4   F
Where a local band was playing,

Fsus2/4   F   C(add9)
  Locals were up kicking and shaking on the floor.

And the next thing I know

E♭sus2
  That coyote's at my door,

G7sus4
  He pins me in a corner and he won't take no.

C(add9)
  He drags me out on the dance floor

        Gsus2/4   G
And we're   dancing close and slow.

        Fsus2/4 F
Now he's got a woman at home,

        Fsus2/4   F
He's got an - other woman down the hall,

He seems to want me anyway.

C(add9)
  Why'd you have to get so drunk

    E♭sus2
And   lead me on that way?

G7sus4
  You just picked up a hitcher,

                  (C(add9))
A prisoner of the white lines on the freeway.

Link 2 ‖: C(add9) | C(add9) G7sus4 | C(add9) | C(add9) G7sus4 :‖

Verse 3

E♭sus2
   I looked a coyote right in the face

G7sus4
   On the road to Baljennie near my old home town.

C(add9)
   He went running through the whisker wheat,

Gsus2/4   G
   Chasing some prize down.

Fsus2/4   F
   And a hawk was playing with him,

Fsus2/4   F
Coyote was jumping straight up and making passes.

C(add9)   E♭sus2
   He had those same eyes just like yours,

Under your dark glasses.

G7sus4
   Privately probing the public rooms

C(add9)
   And peeking through keyholes in numbered doors.

Gsus2/4   G
   Where the players lick their wounds

   Fsus2/4   F
And take their temporary lovers

     Fsus2/4   F   C(add9)
And their pills and powders to get them through this passion play.

No regrets Coyote,

E♭sus2
   I just get off up aways.

G7sus4
   You just picked up a hitcher,

                  (C(add9))
A prisoner of the white lines on the freeway.

Link 3 ‖: C(add9) | C(add9) G7sus4 | C(add9) | C(add9) G7sus4 :‖

Verse 4

E♭sus2
Coyote's in the coffee shop,

G7sus4
He's staring a hole in his scrambled eggs.

C(add9)
He picks up my scent on his fingers

        Gsus2/4   **G**
While he's   watching the waitresses' legs.

    Fsus2/4   **F**
He's too far from the Bay of Fundy,

      Fsus2/4   **F**   **C(add9)**
From appaloosas and eagles and tides.

                E♭sus2
And the air conditioned cubi - cles

And the carbon ribbon rides

G7sus4
Are spelling it out so clear,

C(add9)
Either he's going to have to stand and fight

   Gsus2/4   **G**
Or take off out of here.

Fsus2/4   **F**
I tried to run a - way myself,

Fsus2/4   **F**   **C(add9)**
To run away and wrestle with my ego.

        E♭sus2
And with this,   this flame

           G7sus4
You put here in this Eskimo,

In this hitcher, in this prisoner of the fine white lines,

              C(add9)
Of the white lines on the free, freeway.

| **E♭sus2** | **E♭sus2** | **G7sus4** | **G7sus4** ‖

Outro ‖: **C(add9)** | **C(add9) G7sus4** | **C(add9)** | **C(add9) G7sus4** :‖

Repeat to fade

Cracklin' Rosie

Words & Music by Neil Diamond

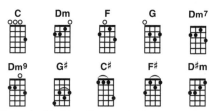

To match original recording tune ukulele up one semitone

Intro | C | C | Dm | F G F G ‖

Verse 1

        C
Ah, Cracklin' Rosie, get on board,

                                   F
We're gonna ride till there ain't no more to go,

Taking it slow,

And Lord, don't you know,

  Dm   G
I'll have me a time with a poor man's lady.

Verse 2

        C
Hitching on a twilight train,

                            F
Ain't nothing here that I care to take a - long,

Maybe a song,

To sing when I want,

    Dm   G   C
Don't need to say please to no man for a happy tune.

Chorus 1

C   F   G   C
Oh, I love my   Rosie child,
C   F   G   C
You got the way to make me happy,
C   F   G C
You and me, we go in style,
Dm
Cracklin' Rosie, you're a store-bought woman.

cont.

Dm7
You make me sing like a guitar humming,

Dm9
So hang on to me, girl,

             G
Our song keeps running on,

Play it now,

N.C.
Play it now,

    G   **(G♯)** *(2nd time only)*
Play it now, my baby.

Verse 3

C
Cracklin' Rosie, make me a smile,

                     F
Girl if it lasts for an hour, that's all right,

'Cause we got all night,

To set the world right,

Dm   **G**   **C**
Find us a dream that don't ask no questions, yeah.

Chorus 2   As Chorus 1

Verse 4

C♯
Cracklin' Rosie, make me a smile,

                   F♯
Girl if it lasts for an hour, well, that's all right,

'Cause we got all night,

To set the world right,

D♯m   **G♯**
Find us a dream that don't ask no question.

Outro

‖: **C♯** | **C♯** | **C♯** | **C♯** |

| **F♯** | **F♯** | **F♯** | **F♯** | **D♯m** | **G♯** :‖

Repeat to fade

A Day In The Life

Words & Music by John Lennon & Paul McCartney

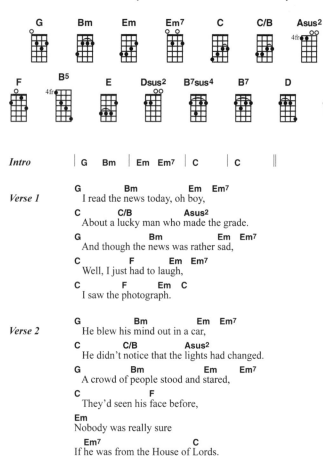

Intro | G Bm | Em Em⁷ | C | C ‖

Verse 1

G   Bm   Em Em⁷
I read the news today, oh boy,

C   C/B   Asus²
About a lucky man who made the grade.

G   Bm   Em Em⁷
And though the news was rather sad,

C   F   Em Em⁷
Well, I just had to laugh,

C   F   Em C
I saw the photograph.

Verse 2

G   Bm   Em Em⁷
He blew his mind out in a car,

C   C/B   Asus²
He didn't notice that the lights had changed.

G   Bm   Em   Em⁷
A crowd of people stood and stared,

C   F
They'd seen his face before,

Em
Nobody was really sure

Em⁷   C
If he was from the House of Lords.

Verse 3

```
     G         Bm              Em  Em7
     I saw a film today, oh boy,

     C            C/B          Asus2
     The English army had just won the war.

     G           Bm           Em   Em7
     A crowd of people turned away,

     C        F         Em
     But I just had to look,

          Em7     C
     Having read the book,

              N.C.(B5)
     I'd love to turn you on.
```

Instrumental 1 ‖: N.C. | N.C. | N.C. | N.C. | N.C. :‖ E | E   ‖

Middle

```
     (E)                                              Dsus2
     Woke up, got out of bed, dragged a comb across my head,

              E              B7sus4
     Found my way downstairs and drank a cup

           E        B7sus4        B7
     And looking up I noticed I was late. Ha, ha, ha.

           E
     Found my coat and grabbed my hat,

                  Dsus2
     Made the bus in seconds flat,

           E              B7sus4
     Found my way upstairs and had a smoke

           E                    B7sus4
     And somebody spoke and I went into a dream.
```

Interlude

```
     C G    D A  E    C G    D A  | E D C D ‖
     Ah,__ ah,__ ah,__ ah,__ ah. __
```

Verse 4

```
     G           Bm            Em  Em7
     I read the news today, oh boy,

     C              C/B          Asus2
     Four thousand holes in Blackburn, Lancashire.

     G             Bm            Em   Em7
     And though the holes were rather small,

     C           F
     They had to count them all;

     Em                       Em7                     C
     Now they know how many holes it takes to fill the Albert Hall.

              N.C.(B5)
     I'd love to turn you on.
```

Instrumental 2 ‖: N.C. | N.C. | N.C. | N.C. | N.C. :‖ E   ‖

49

Dress Sexy At My Funeral

Words & Music by Bill Callahan

F   **B♭**   **Am**   **Gm7**   **B♭sus4**

Intro | F | B♭ F | F | B♭ F | F | B♭ F |

Verse 1
                          B♭   **F**   **B♭ F**
Dress sexy at my funeral,   my good wife.
                          B♭   **F**   **B♭ F**
Dress sexy at my funeral,   my good wife.
              B♭   **F**   **B♭ F**
For the first time in your life.
Am
Wear your blouse undone to here,
       Gm7
And your skirt split up to there.

Verse 2
          F   **B♭**   **F** **B♭ F**
Ah, dress sexy at my funeral,   my good wife.
              B♭   **F**   **B♭ F**
For the first time in your life.
                       B♭   **F**   **B♭ F**
Dress sexy at my funeral,   my good wife,
Am
Wink at the minister,
      Gm7
Blow kisses to my grieving brothers.

Middle
        F   **B♭**   **F** **B♭ F**
Dress sexy at my funeral,   my good wife,
      Am
And when it comes your turn to speak
      Gm7
Be-fore the crowd.
F
Tell them about the time we did it,
Am   **Gm7**
On the beach with fireworks above us.

cont.

F   Am
On the railroad   tracks
        Gm7
With the gravel in your back,
F   Am
In the back room
       Gm7
Of a crowded bar.
F   Am
And in the very graveyard
Gm7
Where my body now rests.

Verse 3

       F   Bb   F   Bb F
Ah, dress sexy at my funeral,   my good wife,
             Bb   F   Bb F
Dress sexy at my funeral,   my good wife,
           Bb   F
For the first time in your life.

| Bb | Bbsus4 | Bb | Bbsus4 | Bb | Bbsus4 | Bb | Bbsus4 ‖

Am   Gm7
Also tell them about how I gave to charity
F   Am   Gm7
And tried to love my fellow   man as best I could
F   Am   Gm7
But most of all don't forget about the time on the beach

With the fireworks above us.

Outro

‖: Gm7 | Gm7 | Gm7 | Gm7 :‖

| Gm7 | Gm7 |

Play 5 times

‖: F | Am | Gm7 | Gm7 :‖

| F ‖

End Of A Century

Music by Damon Albarn, Graham Coxon,
Alex James & David Rowntree

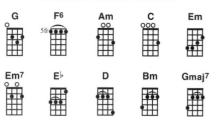

G	F6	Am	C	Em

Em7	E♭	D	Bm	Gmaj7

Intro | G F6 | Am C | G F6 | C

Verse 1

                     G   Gmaj7
She says there's ants in the carpet,

Em   Em7
Dirty little monsters,

E♭   D
Eating all the morsels,

Bm   C
Picking up the rubbish.

G   Gmaj7
Give her effervescence,

      Em   Em7
She needs a little sparkle.

E♭   D
Good morning, T. V.,

       Bm   C
You're looking so healthy.

Chorus 1

Em   D
We all say "Don't want to be alone."

Em   D
We wear the same clothes 'cause we feel the same,

Em   D   C
And kiss with dry lips when we say goodnight.

          G
End of a century,

C
Oh, it's nothing special.

Verse 2

G   Gmaj7
Sex on the T.V.,

Em   Em7
Everybody's at it,

          E♭   D
And the mind gets dirty

        Bm   C
As you get closer to thirty.

    G   Gmaj7
He gives her a cuddle,

        Em   Em7
They're glowing in a huddle.

E♭   D   Bm
Good night T.V., you're all made up

C
And you're looking like me.

Chorus 2   As Chorus 1

Instrumental | G | Gmaj7 | Em | Em7 |

               | E♭ | D | Bm | C |

G   F6 Am C
Can you eat her?

G   F6 C
Yes you can.

Chorus 3

    Em   D
‖: We all say "Don't want to be alone."

Em   D
We wear the same clothes 'cause we feel the same,

Em   D   C
And kiss with dry lips when we say goodnight.

           G
End of a century,

C
Oh it's nothing special. :‖

           G
Oh, end of the century,

C   G   Gmaj7
Oh, it's nothing special.

| Em Em7 | E♭   D | C C D G   ‖

Everyday

Words & Music by Charles Hardin & Norman Petty

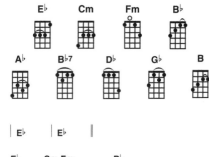

Intro | E♭ | E♭ ‖

Verse 1
E♭   Cm Fm   B♭
Every - day it's a-gettin' closer,
E♭   Cm Fm   B♭
Goin' faster than a roller - coaster,
E♭   Cm   Fm   B♭   E♭
Love like yours will surely come my way.
A♭   E♭   B♭7
A-hey, a-hey-hey.

Verse 2
E♭   Cm Fm   B♭
Every - day it's a-gettin' faster,
E♭   Cm   Fm   B♭
Every - one said, "Go ahead and ask her."
E♭   Cm   Fm   B♭   E♭
Love like yours will surely come my way.
A♭   E♭
  A-hey, a-hey-hey.

Bridge 1
A♭
Everyday seems a little longer,
D♭
Every way love's a little stronger,
G♭
Come what may,

                 B   B♭
Do you ever long for   true love from me?

Verse 3   As Verse 1

Glockenspiel | E♭ Cm | Fm B♭ | E♭ Cm | Fm B♭ |
Solo
           | E♭ Cm | Fm B♭ | E♭ A♭ | E♭ B♭ |

           | E♭ Cm | Fm B♭ | E♭ Cm | Fm B♭ |

           | E♭ Cm | Fm B♭ | E♭ A♭ | E♭ ‖

Bridge 2   As Bridge 1

Verse 4   As Verse 1

         E♭   Cm   Fm   B♭   E♭ B♭7 E♭
Outro   Love like yours will surely come my way.

Every Teardrop Is A Waterfall

Words and Music by Harry Castioni, Alex Christensen, B. Lagonda,
Wycombe, Guy Berryman, Jonathan Buckland, William Champion,
Christopher Martin, Brian Eno, Peter Allen and Adrienne Anderson

Intro　‖: Dsus² Dsus²(♯11)│ Dsus² Dsus²(♯11)│ A(add9)　A │ A(add9)　A │

Verse 1

   (A)　　　**Dsus²　Dsus²(♯11)　　Dsus²　Dsus²(♯11)**
I turn the music up, I got my records on,

     A(add9)　　A　　　　A(add9)　　A
I shut the world out - side until the lights come on.

     Dsus²　　Dsus²(♯11)　　　Dsus²　Dsus²(♯11)
Maybe the street's a - light, maybe the trees are gone,

     A(add9)　　A　　　A(add9)　　A
And I feel my heart start beating to my favourite   song.

     D(add9)
And all the kids they dance, all the kids all night

  A
Until Monday morning feels another life.

    F♯m7
I turn the music up, I'm on a roll this time

   D(add9)
And heaven is in sight.

Link 1　‖: Asus²　A │ D%　D(add9) │ Asus²　A │ D%　D(add9) :‖

Verse 2

D(add9)
I turn the music up, I got my records on,

             A
From under - neath the rubble sing a rebel song.

          D(add9)
Don't want to see another generation drop,

      A
I'd rather be a comma than a full stop.

          D(add9)
Maybe I'm in the black, maybe I'm on my knees,

      A
Maybe I'm in the gap between the two trapezes.

      F♯m7
But my heart is beating and my pulses start,

        D(add9)
Ca - thedrals in my heart.

Chorus

D(add9)   A
As we saw, whoa, oh this light,

        F♯m7   D(add9)
I swear you emerge blinking into to tell me it's all right.

             A   F♯m7
As we soar walls,___ every siren is a symphony

          D(add9)   Asus2 A
And every tear's a waterfall, is a water - fall.

     D% D(add9)   Asus2 A
Ah,___ is a water - fall,

     D%   D(add9)   Asus2 A
Ah,___ is a, is a water - fall.

       D%   D(add9)   Asus2 A   D% D(add9)
Every teardrop, ooh, is a water - fall.   Ah.___

Bridge

D(add9)   Esus4 E   D(add9)
So you can hurt,   hurt me bad,

         Amaj7   D(add9)   Asus2 A D% D(add9) Asus2 A D
But still I'll raise_____ the flag.   Ooh.

D(add9)   Asus2 A D%   D(add9) Asus2 A D%   D(add9)
It was a wa -   - ter - fall, a wa -   - ter - fall.

Link 2

| D(add9) | D(add9) | A | | A | ‖

Outro

D(add9)   A
Every tear, every tear, every teardrop is a waterfall.

D(add9)   A
Every tear, every tear, every teardrop is a waterfall.

D(add9)   A
Every tear, every tear, every teardrop is a waterfall.

D(add9)   A
Every tear, every tear, every teardrop is a waterfall.

D(add9)   A
Every tear, every tear, every teardrop is a waterfall.

50 Ways To Leave Your Lover

Words & Music by Paul Simon

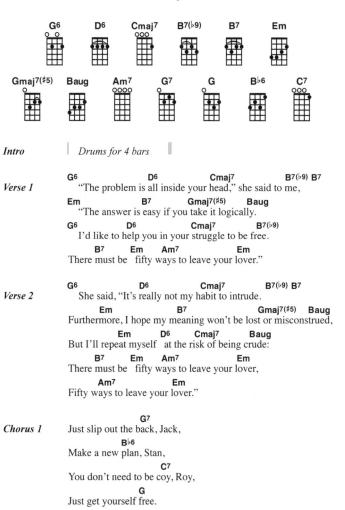

Intro | *Drums for 4 bars* ‖

Verse 1

G6   D6   Cmaj7   B7(♭9) B7
"The problem is all inside your head," she said to me,

Em   B7   Gmaj7(♯5)   Baug
"The answer is easy if you take it logically.

G6   D6   Cmaj7   B7(♭9)
I'd like to help you in your struggle to be free.

    B7   Em   Am7   Em
There must be fifty ways to leave your lover."

Verse 2

G6   D6   Cmaj7   B7(♭9) B7
She said, "It's really not my habit to intrude.

    Em   B7   Gmaj7(♯5)   Baug
Furthermore, I hope my meaning won't be lost or misconstrued,

      Em   D6   Cmaj7   Baug
But I'll repeat myself at the risk of being crude:

    B7   Em   Am7   Em
There must be fifty ways to leave your lover,

    Am7   Em
Fifty ways to leave your lover."

Chorus 1

             G7
Just slip out the back, Jack,

    B♭6
Make a new plan, Stan,

             C7
You don't need to be coy, Roy,

         G
Just get yourself free.

cont.

G7
Hop on the bus, Gus,

B♭6
You don't need to discuss much.

C7
Just drop off the key, Lee,

G
And get yourself free.

G7
Just slip out the back, Jack,

B♭6
Make a new plan, Stan,

C7
You don't need to be coy, Roy,

G
Just listen to me.

G7
Hop on the bus, Gus,

B♭6
You don't need to discuss much.

C7
Just drop off the key, Lee,

G
And get yourself free.

Verse 3

G6　　　　**D6**　　　　　　**Cmaj7**　　　**B7(♭9) B7**
　She said, "It grieves me so to see you in such pain.

　　　　　Em　　　　　　**B7**　　　　**Gmaj7(♯5)**　　　**Baug**
I wish there was something I could do to make you smile again."

Em　　　　　**D6**　**Cmaj7**　　　　　**B7(♭9)**
I said, "I appreciate that   and would you please explain

　　　　B7　**Em**　　**Am7**　　**Em**
About the fifty ways.

Verse 4

G6　　　　　　**D6**　　　　　　　**Cmaj7**　　　**B7(♭9)**
　She said, "Why don't we both just sleep on it tonight,

　　B7　**Em**　　　　**B7**　　　　**Gmaj7(♯5)**　　　**Baug**
And I believe in the morning you'll begin to see the light."

　　　　　　Em　　　　　**D6**　　**Cmaj7**　　　　**Baug**
And then she kissed me, and I realised she probably was right:

　　B7　　**Em**　　**Am7**　　　　**Em**
There must be   fifty ways to leave your lover,

　　Am7　　　　　**Em**
Fifty ways to leave your lover.

Chorus 2

G^7
Just slip out the back, Jack,

$B\flat6$
Make a new plan, Stan,

C^7
You don't need to be coy, Roy,

G
Just get yourself free.

G^7
Hop on the bus, Gus,

$B\flat6$
You don't need to discuss much.

C^7
Just drop off the key, Lee,

G
And get yourself free.

G^7
Just slip out the back, Jack,

$B\flat6$
Make a new plan, Stan,

C^7
You don't need to be coy, Roy,

G
Just listen to me.

G^7
Hop on the bus, Gus,

$B\flat6$
You don't need to discuss much.

C^7
Just drop off the key, Lee,

G
And get yourself free.

Coda   ‖: *Drums* :‖   *Repeat to fade*

61

First We Take Manhattan

Words & Music by Leonard Cohen

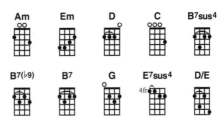

Am   Em   D   C   B7sus4

B7(♭9)   B7   G   E7sus4   D/E

To match original recording tune ukulele up one semitone

Intro
‖: (Am) | (Am) | (Em) | (Em) :‖

| Am | Am | Em | Em |

| D | C | B7sus4 | B7(♭9) ‖ Em | Em

Verse 1

    Am   **Em**
They sentenced me to twenty years of boredom
    Am   **Em**
For trying to change the system from within.
    Am   **Em**
I'm coming now, I'm coming to reward them.
D   **C**
First we take Manhattan,
B7sus4 B7   **Em**
        Then we take Berlin.

| Em | Em | Em ‖

Verse 2

    Am   **Em**
I'm guided by a signal in the heavens,
    Am   **Em**
I'm guided by this birthmark on my skin.
    Am   **Em**
I'm guided by the beauty of our weapons.
D   **C**
First we take Manhattan,
B7sus4 B7   **Em**
        Then we take Berlin.

                        G   C   G   D
Bridge 1   I'd really like to live beside you, baby,
                C   D   G   C   G   Em
                    I love your body and your spirit and your clothes,
                        G   C   G   Em
                But you see that line there moving through the station?
                        D   C   B7sus4 B7   Em
                I told you, I told you, told you, I was one of those.

                            Am
Verse 3   Ah, you loved me as a loser,

                                    Em
                But now you're worried that I just might win.
                            Am   Em
                You know the way to stop me, but you don't have the discipline.
                        Am   Em
                How many nights I prayed for this, to let my work begin.
                D   C
                First we take Manhattan,

                B7sus4 B7   Em
                        Then we take Berlin.

                | Em | Em | Em   ‖

                Am   Em
Verse 4   I don't like your fashion business, mister,

                            Am   Em
                And I don't like these drugs that keep you thin.
                Am   Em
                I don't like what happened to my sister.
                D   C
                First we take Manhattan,

                B7sus4 B7   Em
                        Then we take Berlin.

                | Em | Em | Em   ‖

                        G   C   G   D
Bridge 2   I'd really like to live beside you, baby,
                C   D   G   C   G   Em
                    I love your body and your spirit and your clothes,
                        G   C   G   Em
                But you see that line there moving through the station?
                        D   C   B7sus4 B7   Em
                I told you, I told you, told you, I was one of those.

Verse 5

    Am   **Em**
And I thank you for those items that you sent me:

    Am   **Em**
The monkey and the plywood violin.

  Am   **Em**
I practiced every night, now I'm ready.

D   **C**
First we take Manhattan,

B7sus4 **B7**   **Em**
      Then we take Berlin.

   E7sus4 **D/E** **B7sus4** **B7**
(I am   gui - - - ded.)

    Am   **Em**
Ah remember me, I used to live for music,

    Am   **Em**
Remember me, I brought your groceries in.

        Am   **Em**
Well it's Father's Day and everybody's wounded.

D   **C**
First we take Manhattan,

B7sus4 **B7**   **Em**
      Then we take Berlin.

Coda   ‖: **Em** | **Em** | **Em** | **Em**   :‖   *Repeat to fade*

Get Lucky

Words & Music by Thomas Bangalter, Pharrell Williams,
Guy-Manuel de Homem-Christo & Nile Rodgers

Bm   D   E   F♯m

Intro   ‖: Bm | D | F♯m | E   :‖   *Play 4 times*

Verse 1

(E)   **Bm**
Like the legend of the Phoenix
D   **F♯m**
  All ends with be - ginnings,
E   **Bm**   **D**
  What keeps the planet spinning, uh huh,
            F♯m   **E**
The force from the be - ginning.

Pre chorus 1

Bm   **D**
We've come too far
    F♯m   **E**
To give up who we are.
  Bm   **D**
So let's raise the bar
    F♯m   **E**
And our cups to the stars.

Chorus 1

Bm
  She's up all night to the sun,
D
  I'm up all night to get some,
F♯m
  She's up all night for good fun,
E
  I'm up all night to get lucky.
Bm
  We're up all night to the sun,
D
  We're up all night to get some,
F♯m
  We're up all night for good fun,
E
  We're up all night to get lucky.

	Bm
Bridge 1	We're up all night to get lucky,

Bridge 1

Bm
We're up all night to get lucky,

D
We're up all night to get lucky,

F♯m
We're up all night to get lucky,

E
We're up all night to get lucky.

Link 1 | Bm | D | F♯m | E |

Verse 2

(E)   **Bm**
The present has no ribbon,

D   **F♯m**
Your gift keps on giving,

E   **Bm**
What is this I'm feeling?

D   **F♯m**   **E**
If you wanna leave, I'm ready, ah.

Pre chorus 2

Bm   **D**
We've come too far

     F♯m   **E**
To give up who we are.

    Bm   **D**
So let's raise the bar

    F♯m   **E**
And our cups to the stars.

Chorus 2   As Chorus 1

Bridge 2   As Bridge 1

Chorus 3	As Chorus 1
Bridge 3	As Bridge 1
Chorus 4	As Chorus 1
Bridge 4	‖: As Bridge 1 :‖ *Play 6 times (w/synth vox. ad lib.)*
Pre chorus 3	As Pre chorus 1
Chorus 5	As Chorus 1
Bridge 5	‖: As Bridge 1 :‖ *Play 4 times*
Outro	‖: Bm │ D │ F#m │ E :‖ *Repeat to fade*

Fisherman's Blues

Words & Music by Mike Scott & Steve Wickham

G   F   Am   C

Intro   ‖: G | G | F | F | Am | Am | C | C

Verse 1

    G   F
I wish I was a fisherman tumbling on the seas,

Am   C
    Far away from dry land and its bitter memories,

    G   F
    Casting out my sweet life with abandonment and love,

Am   C
    No ceiling bearing down on me save the starry sky above.

             G
With light in my head,

             F   G Am | Am ‖
And you in my arms. Whoo!

Link 1 | G | G | F | F | Am | Am | C | C

Verse 2

    G   F
I wish I was the brakeman on a hurtling fevered train,

          Am   C
Crashing a-headlong into the heartland like a cannon in the rain,

    G   F
With the beating of the sleepers and the burning of the coal,

Am   C
Counting the towns flashing by and the night that's full of soul.

             G
With light in my head,

             F   G Am | Am ‖
And you in my arms. Whoo!

Link 2   ‖: G | G | F | F | Am | Am | C | C

D   **C**
Tomorrow I will be loosened from bonds that hold me fast,

       Em   **G**
When the chains hung all around me   will fall away at last.

            D   **C**
And on that   fine and fateful day I will take me in my hands,

      Em   **G**
I will   ride on the train, I will be the fisherman

                D
With light in my head,

        C
You in my arms.

        D   **Em** | **Em** | **G** | **G**   ‖
Whoo - ooo - ooh.

‖: **D** | **D** | **C** | **C** | **Em** | **Em** | **G** | **G**   :‖

‖:   **D**
      Light in my head,

      C
You in my arms,

      D   **Em**
Light in my head,

       G
You. _____   :‖   *Repeat to fade*

Forever Autumn

Words by Paul Vigrass & Gary Osborne
Music by Jeff Wayne

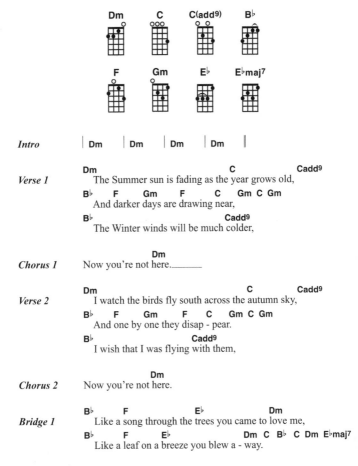

Intro | Dm | Dm | Dm | Dm ||

Verse 1

Dm   C   Cadd9
   The Summer sun is fading as the year grows old,

B♭   F   Gm   F   C   Gm C Gm
   And darker days are drawing near,

B♭   Cadd9
   The Winter winds will be much colder,

Chorus 1

                    Dm
Now you're not here._____

Verse 2

Dm   C   Cadd9
   I watch the birds fly south across the autumn sky,

B♭   F   Gm   F   C   Gm C Gm
   And one by one they disap - pear.

B♭   Cadd9
   I wish that I was flying with them,

Chorus 2

                    Dm
Now you're not here.

Bridge 1

B♭   F   E♭   Dm
   Like a song through the trees you came to love me,

B♭   F   E♭   Dm C B♭ C Dm E♭maj7
   Like a leaf on a breeze you blew a - way.

Link 1 | Dm | Dm | Dm | Dm ||

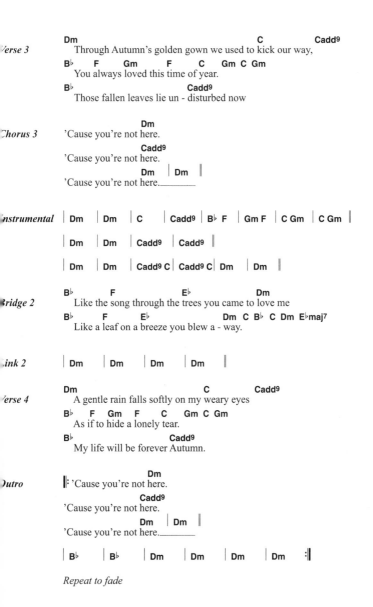

Verse 3

Dm   C   Cadd9
Through Autumn's golden gown we used to kick our way,

B♭   F   Gm   F   C   Gm C Gm
You always loved this time of year.

B♭   Cadd9
Those fallen leaves lie un - disturbed now

Chorus 3

             Dm
'Cause you're not here.

             Cadd9
'Cause you're not here.

             Dm | Dm ‖
'Cause you're not here._____

Instrumental

| Dm | Dm | C | Cadd9 | B♭ F | Gm F | C Gm | C Gm ‖

| Dm | Dm | Cadd9 | Cadd9 ‖

| Dm | Dm | Cadd9 C | Cadd9 C | Dm | Dm ‖

Bridge 2

B♭   F   E♭   Dm
Like the song through the trees you came to love me

B♭   F   E♭   Dm C B♭ C Dm E♭maj7
Like a leaf on a breeze you blew a - way.

Link 2

| Dm | Dm | Dm | Dm ‖

Verse 4

Dm   C   Cadd9
A gentle rain falls softly on my weary eyes

B♭   F   Gm   F   C   Gm C Gm
As if to hide a lonely tear.

B♭   Cadd9
My life will be forever Autumn.

Outro

             Dm
‖: 'Cause you're not here.

             Cadd9
'Cause you're not here.

             Dm | Dm ‖
'Cause you're not here._____

| B♭ | B♭ | Dm | Dm | Dm | Dm :‖

Repeat to fade

Go Your Own Way

Words & Music by Lindsey Buckingham

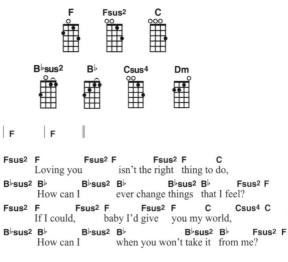

F   Fsus2   C   B♭sus2   B♭   Csus4   Dm

Intro

| F | F |

Verse 1

Fsus2 F   Fsus2 F   Fsus2 F   C
    Loving you   isn't the right thing to do,

B♭sus2 B♭   B♭sus2 B♭   B♭sus2 B♭   Fsus2 F
    How can I   ever change things   that I feel?

Fsus2 F   Fsus2 F   Fsus2 F   C   Csus4 C
    If I could,   baby I'd give   you my world,

B♭sus2 B♭   B♭sus2 B♭   B♭sus2 B♭   Fsus2 F
    How can I   when you won't take it   from me?

Chorus 1

Dm   B♭   C
  You can go your own way,

(Go your own way)

Dm   B♭   C
  You can call it another lonely day.

Dm   B♭   C
  You can go your own way,

Go your own way.

Verse 2

Fsus2 F   Fsus2 F
    Tell me why,

Fsus2   F   C   Csus4 C
Everything turned around.

B♭sus2 B♭   B♭sus2 B♭   B♭sus2 B♭   Fsus2 F
    Packing up,   shacking up's all you wanna do.

Fsus2 F   Fsus2 F   Fsus2 F   C   Csus4 C
    If I could,   baby I'd give   you my world,

B♭sus2 B♭   B♭sus2 B♭   B♭sus2 B♭   F   Fsus2
    Open up,   everything's waiting for you.

Chorus 2   As Chorus 1

Guitar solo | Fsus2 F | Fsus2 F | Fsus2 F | C |

                    | B♭sus2 B♭ | B♭sus2 B♭ | B♭sus2 B♭ | F |

                    | Fsus2 F | Fsus2 F | Fsus2 F | C |

                    | B♭sus2 B♭ | B♭sus2 B♭ | B♭sus2 B♭ | F |

Chorus 3

Dm   B♭   C
You can go your own way,

(Go your own way)
Dm   B♭   C
You can call it anoth - er lonely day.

(Another lonely day)
Dm   B♭   C
You can go your own way,

(Go your own way)
Dm   B♭   C
You can call it anoth - er lonely day.

Outro   ‖: Dm | B♭ | C | C :‖ *Repeat to fade*

God Only Knows

Words & Music by Brian Wilson & Tony Asher

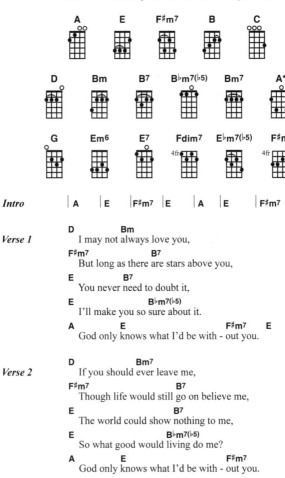

A	E	F♯m7	B	C
D	Bm	B7	B♭m7(♭5)	Bm7	A*
G	Em6	E7	Fdim7	E♭m7(♭5)	F♯m

Intro | A | E | F♯m7 | E | A | E | F♯m7 | A   B

Verse 1

D   Bm
I may not always love you,

F♯m7   B7
But long as there are stars above you,

E   B7
You never need to doubt it,

E   B♭m7(♭5)
I'll make you so sure about it.

A   E   F♯m7   E
God only knows what I'd be with - out you.

Verse 2

D   Bm7
If you should ever leave me,

F♯m7   B7
Though life would still go on believe me,

E   B7
The world could show nothing to me,

E   B♭m7(♭5)
So what good would living do me?

A   E   F♯m7
God only knows what I'd be with - out you.

Instrumental	**A***	**G**	**A***	**G**	
	G	**Em6**	**Bm7**	**E7**	
	A*	**Fdim7**	**A***	**E♭m7(♭5)**	

D   A   Bm7
God only knows what I'd be with - out you.

Verse 3

D   Bm7
If you should ever leave me,
F♯m7   B7
Though life would still go on believe me.
E   B7
The world could show nothing to me,
E   B♭m7(♭5)
So what good would living do me?
A   E   F♯m E
God only knows what I'd be with - out you.

Outro

  A   E   F♯m E
‖: God only knows what I'd be with - out you,

(God only knows what I'd be without you)
A   E   F♯m E
God only knows what I'd be with - out you,

(God only knows what I'd be without you) :‖ *Repeat to fade*

A Good Year For The Roses

Words & Music by Jerry Chesnut

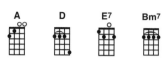

Verse 1

        A
I can hardly bear the sight of lipstick

         D   A
On the ciga - rettes there in the ashtray,

Lying cold the way you left 'em,

                    D   A
But at least your lips car - essed 'em while you packed.

        D
And a lip-print on a half-filled cup of coffee

             A
That you poured and didn't drink,

   E7
But at least you thought you wanted it,

                  A
That's so much more than I can say for me.

Chorus 1

                    D
It's been a good year for the roses,

E7   A
  Many blooms still linger there.

                    Bm7
The lawn could stand another mowing,

E7   A
  Funny, I don't even care.

              D
When you turn to walk away,

E7   D A
  As the door behind you closes,

              Bm7
The only thing I know to say,

E7   A
  It's been a good year for the roses.

$$\textit{Verse 2}$$

        A
After three full years of marriage,

              D   **A**
It's the first time that you haven't made the bed.

I guess the reason we're not talking,

            D   **A**
There's so little left to say we haven't said.

     D
While a million thoughts go racing through my mind,

        A
I find I haven't spoke a word.

     E7
And from the bedroom the familiar sound

            A
Of our one baby's crying goes unheard.

$$\textit{Chorus 2}$$

           D
But what a good year for the roses,

E7   **A**
  Many blooms still linger there.

            Bm7
The lawn could stand another mowing,

E7   **A**
  Funny, I don't even care.

          D
And when you turn to walk away,

E7   **D** **A**
  As the door behind you closes,

           Bm7
The only thing I know to say,

E7   **A** **D**   **A**   **E7** **A**
  It's been a good year for the ro - ses.

Hickory Wind

Words & Music by Gram Parsons & Bob Buchanan

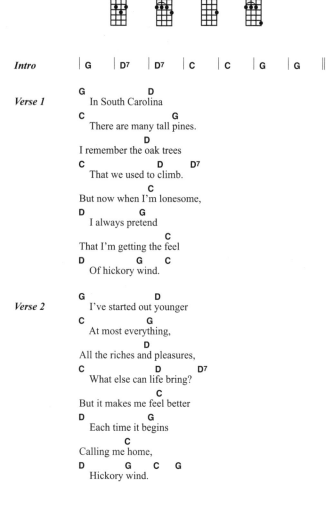

Intro | G | D7 | D7 | C | C | G | G ‖

Verse 1

G   D
In South Carolina
C   G
There are many tall pines.
              D
I remember the oak trees
C   D   D7
That we used to climb.
              C
But now when I'm lonesome,
D   G
I always pretend
            C
That I'm getting the feel
D   G   C
Of hickory wind.

Verse 2

G   D
I've started out younger
C   G
At most everything,
        D
All the riches and pleasures,
C   D   D7
What else can life bring?
           C
But it makes me feel better
D   G
Each time it begins
        C
Calling me home,
D   G   C   G
Hickory wind.

Verse 3

          G   **D**   **C**
      It's a hard way to find out

                G
That trouble is real.

       D⁷
In a far away city,

C   **D**   **D⁷**
   With a far away feel,

               C
But it makes me feel better

D   **G**
   Each time it begins

         C
Calling me home,

D   **G**   **C**   **G**
   Hickory wind,

         C
Keeps calling me home,

D   **G**   **C**   **G**
   Hickory wind.

Ho Hey

Words & Music by Jeremy Fraites & Wesley Schultz

F   C   Am   G

Intro
   F | C   F | C   F | C   F | C   F | C |
   (Ho!)   (Hey!)   (Ho!)   (Hey!)   (Ho!)

Verse 1
                               F C
I've been trying to do it right, (Hey!)
                         F C
I've been living a lonely life. (Ho!)
                       F C
I've been sleeping here instead, (Hey!)
                     Am
I've been sleeping in my bed, (Ho!)
                G   F C   F C F C
I've been sleeping in my bed. (Hey! Ho! Hey!)

Verse 2
                F C
So show me family, (Hey!)
                    F C
All the blood that I will bleed. (Ho!)
                   F C
I don't know where I belong, (Hey!)
                     Am
I don't know where I went wrong. (Ho!)
              G   F C
But I can write a song. (Hey!)

Chorus 1
               Am   G
I belong with you, you belong with me,
               C
You're my sweet - heart.
               Am   G
I belong with you, you belong with me,
             F   C
You're my sweet. (Ho!)

Link 1 | (C) **F** | **C** **F** | **C** **F** | **C** **F** | **C** |
                  (Hey!)   (Ho!)   (Hey!)   (Ho!)

                                       F **C**

Verse 3 I don't think you're right for him, (Hey!)

                                          F   **C**

        Think of what it might've been if you (Ho!)

                             F C

        Took a bus to Chinatown, (Hey!)

                                 Am   **G**   **F C**   **Am**

        I'd be standing on Canal (Ho!) and Bowery. (Hey! Ho!)

                            G   **F C**

        And she'd be standing next to me. (Hey!)

                   Am   **G**

Chorus 2 I belong with you, you belong with me,

                   C

        You're my sweet - heart.

                   Am   **G**

        I belong with you, you belong with me,

                   C

        You're my sweet - heart.

                F   **G**   **C**

Bridge And love, we need it now,

                F   **G**

        Let's hope for some.

                   F   **G**   **C**

        'Cause oh, we're bleeding now.

Chorus 3 As Chorus 1

Outro | (C) **F** | **C** **F** | **C** **F** | **C** |
                  (Hey!)   (Ho!)   (Hey!)

Holes

Words & Music by Jonathan Donahue, Adam Snyder,
David Fridmann & Sean Mackowiak

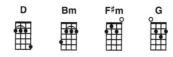

| D | Bm | F#m | G |

Verse 1

    D   **Bm**
Time,

          F#m **G**
All the long red lines,

        D **Bm**
That take con - trol

            F#m   **G**
Of all the smokelike streams

          D   **Bm**
That flow into your dreams.

       F#m **G**
That big blue open sea

     D   **Bm**
That can't be crossed,

    F#m   **G**
That can't be climbed,

      D   **Bm**
Just born be - tween.

        F#m **G**
Oh the two white lines,

          D   **Bm**
Distant gods and faded signs.

        F#m **G**
Of all those blinking lights,

            D
You had to pick the one to - night.

Interlude   ‖: **D** | **Bm** | **F#m** | **G** :‖ *Play 4 times*
            (- night.)

Verse 2

D   Bm
Holes,

     F♯m   G
Dug by little moles,

       D   Bm
Angry jealous spies.

         F♯m   G
Got telephones for eyes,

        D   Bm
Come to you as friends,

      F♯m   G
All those endless ends,

       D   Bm
That can't be tied.

       F♯m   G
Oh they make me laugh,

        D   Bm
And always make me cry.

      F♯m   G
Till they drop like flies,

        D   Bm
And sink like polished stones.

      F♯m   G
Of all the stones I throw,

        D   Bm F♯m   G
How does that old song go?

        D
How does that old song go?

Trumpet solo ‖: D | Bm | F♯m | G :‖ *Play 3 times*
         (go.)

Outro

D   Bm
Bands,

     F♯m   G
Those funny little plans,

        D
That never work quite right.

I Forgot To Remember To Forget

Words & Music by Stanley Kesler & Charlie Feathers

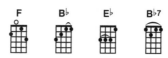

F   B♭   E♭   B♭7

| *Intro* | F | F | B♭ | B♭ ‖ |

Verse 1

        B♭   **F**
I for - got to remember to for - get her,
                      B♭
I can't seem to get her off my mind.
    E♭
I thought I'd never miss her,
    B♭
But I found out somehow,
   F   **B♭**
I think about her almost all the time.

Chorus 1

      E♭
The day she went away,
           B♭
I made myself a promise,
                 F
That I'd soon forget we'd ever met.
  B♭
But something sure is wrong,
    E♭
'Cause I'm so blue and lonely,
  B♭   **F**   **B♭**
I forgot to remember to forget.

Instrumental | B♭ | B♭ | E♭ | E♭ |

| B♭ | B♭ | F | F |

| B♭ | B♭ | E♭ | E♭ |

| B♭ | F | B♭ | B♭7   ‖

Chorus 2

      E♭
The day she went away,

     B♭
I made myself a promise,

         F
That I'd soon forget we'd ever met.

  B♭
But something sure is wrong,

  E♭
'Cause I'm so blue and lonely,

  B♭   F   B♭
I forgot to re - member to for - get.

I Say A Little Prayer

Words by Hal David
Music by Burt Bacharach

Intro | F♯m | Bm⁷ | Bm⁷ | E | Amaj⁷ | D | C♯⁷ |

Verse 1

F♯m   Bm⁷
The moment I wake up,

     E   Amaj⁷
Before I put on my make-up

D   C♯⁷
I say a little prayer for you.

F♯m   Bm⁷
And while combing my hair now

     E   Amaj⁷
And wond'ring what dress to wear now,

D   C♯⁷
I say a little prayer for you.

Chorus 1

D   E   C♯m   F♯m
Forever, forever, you'll stay in my heart

     Bm⁷   A⁷   D   E
And I will love   you forever and ever.

C♯m   F♯m
We never will part,

     Bm⁷   A⁷
Oh, how I'll love   you.

D   E   C♯m   F♯m
Together, together, that's how it must be.

     Bm⁷   A⁷
To live without   you

     D   Dsus²   C♯⁷
Would only mean heart-break for me.

Verse 2

F#m   Bm7
  I run for the bus, dear,

          E   Amaj7
While riding, I think of us, dear,

D   C#7
I say a little prayer for you.

F#m   Bm7
  At work I just take time

          E   Amaj7
And all through my coffee break time

D   C#7
I say a little prayer for you.

Chorus 2

‖:   D   E   C#m   F#m
  Forever, forever, you'll stay in my heart

      Bm7 A7   D   E
And I will love   you forever and ever.

   C#m   F#m
We never will part,

      Bm7 A7
Oh, how I'll love   you.

   D   E   C#m   F#m
Together, together, that's how it must be.

      Bm7 A7
To live without   you

     D   Dsus2   C#7
Would only mean heart-break for me. :‖

Middle 1

F#m   Bm7
  My darling, believe me,

        E7   Amaj7
For me there is no one but you.

   Dsus2   Amaj7
Please love me too,

Dsus2   Amaj7
I'm in love with you.

Dsus2   Amaj7
Answer my prayer, baby,

Dsus2   Amaj7
Say you love me too,

   Dsus2   Amaj7
Answer my prayer, please.

Chorus 3

D   E   C♯m   F♯m
Forever, forever, you'll stay in my heart

          Bm⁷   A⁷   D   E
And I will love   you forever and ever.

       C♯m   F♯m
We never will part,

         Bm⁷   A⁷
Oh, how I'll love   you.

       D   E   C♯m   F♯m
Together, together, that's how it must be.

          Bm⁷   A⁷
To live without   you

          D   Dsus²   C♯⁷
Would only mean heart-break for me.

Middle 2

F♯m   Bm⁷
    My darling, believe me,

               E⁷   Amaj⁷
For me there is no one but you.

      Dsus²   Amaj⁷
Please love me too.

      Dsus²   Amaj⁷
‖: This is my prayer,

      Dsus²   Amaj⁷
Answer my prayer now, baby. :‖   *Repeat to fade*
                                           with vocal ad lib.

If I Were A Carpenter

Words & Music by Tim Hardin

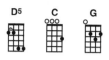

D5   C   G

Intro   ‖: D5 | D5 | C G | D5   :‖

        | D5 | D5 | D5   ‖

Verse 1

D5   C   G
If I were a carpenter

           D5
And you were a lady,

               C   G
Would you marry me anyway?

           D5
Would you have my baby?

        C   G
If a tinker were my trade,

           D5
Would you still find me?

         C   G
Carrying the pots I made,

           D5   C G D5
Following be - hind me.

Chorus 1

C   D5
   Save my love through loneliness,

C   D5
   Save my love for sorrow.

                  C   G
I've given you my onlyness,

                       D5
Come and give me your to - morrow.

Verse 2

D5   C   G
   If I worked my hands in wood,

          D5
Would you still love me?

              C   G
Answer me babe, "Yes I would,

              D5
I would put you a - bove me."

          C   G
If I were a miller

          D5
And a mill wheel grinding,

                   C   G
Would you miss your coloured blouse

              D5
And your soft shoe shining?

Instrumental

| D5 | C G | D5 | C | G | |
| D5 | D5 | C | G | D5 | |

Verse 3

D5   C   G
If I were a carpenter

              D5
And you were a lady,

                   C   G
Would you marry me anyway?

              D5
Would you have my baby?

                   C   G
Would you marry me anyway?

              D5
Would you have my baby?

Outro | D5 | C | G | D5   ‖

I'll See You In My Dreams

Words by Gus Kahn
Music by Isham Jones

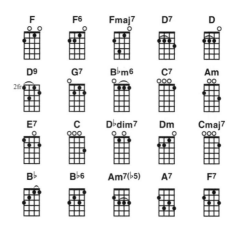

Intro ‖: F F6 | Fmaj7 F6 | F F6 | Fmaj7 F6 :‖

Verse

F   F6   Fmaj7   F6
Though the days are long,

D7   D   D9   D
Twilight sings a song

G7   Bbm6   C7   F   F6 Fmaj7 F6
Of the happi - ness that   used to be.

Am   E7
Soon my eyes will close,

           Am
Soon I'll find repose,

C   Dbdim7   Dm   G7   C   Cmaj7 C7
And in dreams you're always near to me.

Chorus 1

B♭   B♭6 B♭ B♭m6
I'll see you in my dreams,

F   F6 E7 F6
Hold you in my dreams.

D7
Someone took you out of my arms,

G7   C
Still I feel the thrill of your charms.

B♭   B♭6   B♭m6
Lips that once were mine,

F   F6   E7   F6
Tender eyes___ that shine.

Am7(♭5) D7 D9   A7   Dm   F7
They   will light my way to - night,

    B♭   B♭m6 C7 F
I'll see you in   my dreams.

Instrumental

B♭	B♭6	B♭m6	B♭m6
F	F6 E7	F6	F6
D7	D7	D7	D7
G7	G7	C	C7

Chorus 2

B♭   B♭6   B♭m6
Lips that once were mine,

F   F6 E7   F6
Tender eyes___ that shine.

Am7(♭5) D7 D9   A7   Dm F7
They   will light my way to - night,

    B♭   B♭m6 C7 F
I'll see you in   my dreams.

Am7(♭5) D7 D9   A7   Dm F7
They   will light my lonely way to - night,

    B♭   B♭m6 C7 (F)
I'll see you in   my dreams.

Outro

| F F6 | Fmaj7 F6 | F F6 | Fmaj7 F6 | F |

93

In The Country

Words & Music by Hank Marvin, John Rostill,
Bruce Welch & Brian Bennett

D	Dmaj7	D7	B7	Em	Em(maj7)

Em7	A7	G	Bm	E7	F

	D
Intro	Ba, ba-ba-ba-ba, ba-ba-ba-ba, ba-ba-ba-ba.

Ba, ba-ba-ba-ba, ba-ba-ba-ba, ba-ba-ba-ba.

Verse 1
   D   Dmaj7   D7   B7
When the world in which you living gets a bit too much to bear,
       Em   Em(maj7)   Em7   A
And you need someone to lean on, when you look there's no one t
          D   G D G   D   G D
You're gonna find me___ out in the country,___
      G   D   G D   G   D   G D
Yeah, you're gonna find me___ way out in the country.___

Chorus 1
    G   D   G   D   G
  Where the air is good and the day is fine,
          D   G   D   G
And the pretty girl has a hand in mine.
          D   G   D   Bm
And the silver stream is a poor man's wine,
       Em   G   A7
In the country, in the country.___

	(A7) D Dmaj7 D7 B7
Verse 2	If you're walking in the city and you're feeling rather small,

              Em   **Em(maj7)**   **Em7**   **A7**
And the people on the sidewalk seem to form a solid wall.

           D   **G D**   **G**   **D**   **G D**
You're gonna find me,____ hey, out in the country,____

G   **D**   **G D**   **G**   **D**   **G D**
You're gonna find me,____ yeah, out in the country.____

	G **D** **G** **D** **G**
Chorus 2	Where the air is good and the day is fine,

         D   **G**   **D**   **G**
And the pretty girl has a hand in mine.

         D   **G**   **D**   **Bm**
And the silver stream is a poor man's wine,

        Em   **E7**   **A7**
In the country, in the country.____

	D **F**
Bridge	Hurry, hurry, hurry for the time is slipping by,

D   **F**   **A7**
You don't need a ticket, it be - longs to you and I.

            D   **G D**   **G**   **D**   **G D G**
Come on and join me,____ hey, out in the country.____

Link	| **D** | **D** | **D** | **D** ||

	N.C. **D** **G** **D** **G**
Chorus 3	Where the air is good, and the day is fine,

         D   **G**   **D**   **G**
And the pretty girl has a hand in mine.

         D   **G**   **D**   **Bm**
And the silver stream is a poor man's wine,

        Em   **G**   **A7**
In the country, in the country.____

	D
Outro	|: Ba, ba-ba-ba-ba, ba-ba-ba-ba, ba-ba-ba-ba.

Ba, ba-ba-ba-ba, ba-ba-ba-ba, ba-ba-ba-ba. :|| *Repeat to fade*

Ivy & Gold

Words & Music by Jack Steadman

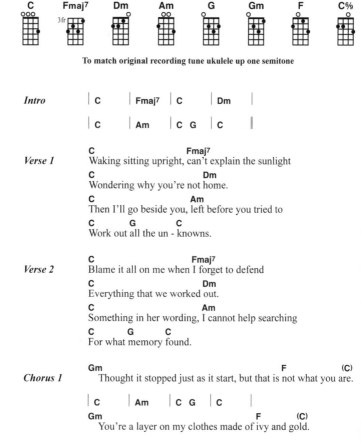

To match original recording tune ukulele up one semitone

Intro | C | Fmaj⁷ | C | Dm |

| C | Am | C G | C ‖

Verse 1
```
C                    Fmaj7
Waking sitting upright, can't explain the sunlight
C                    Dm
Wondering why you're not home.
C                    Am
Then I'll go beside you, left before you tried to
C      G        C
Work out all the un - knowns.
```

Verse 2
```
C                    Fmaj7
Blame it all on me when I forget to defend
C                    Dm
Everything that we worked out.
C                    Am
Something in her wording, I cannot help searching
C      G        C
For what memory found.
```

Chorus 1
```
Gm                                        F        (C)
  Thought it stopped just as it start, but that is not what you are.

| C | Am | C G | C |
Gm                                  F        (C)
  You're a layer on my clothes made of ivy and gold.
```

Link　　|　C　　|　Fmaj7　|　C　　　|　Dm　　|

　　　　　|　C　　|　Am　|　C　G　|　C　　‖

Verse 3
C　　　　　　　　　　Fmaj7
Meet me in the hallway, bite your lip when I say
C　　　　　　　　Dm
Never have you left my mind.
C　　　　　　　　Am
Stop and think it over, smile and move in closer,
C　　　G　　　C
Oh what delicate time.

Verse 4
C　　　　　　　　　Fmaj7
Blame it all on me when I forget to defend
C　　　　　　　　Dm
Everything that we put down.
C　　　　　　　　Am
Something in her wording, I guess she was just searching
C　　　G　　　C
For some monetary sound.

Chorus 2
Gm　　　　　　　　　　　　　　　　F　　　　　(C)
　　Thought it stopped just as it start, but that is not what you are.

|　C　　|　Am　|　C　G　|　C　　|
Gm　　　　　　　　　　　　　　F　　　(C)
　　You're a layer on my clothes made of ivy and gold.

|　C　　|　Am　|　C　G　|　C　　|
Gm　　　　　　　　　　　　　F　　　(C)
You're a layer on my clothes made of ivy and gold.

Outro　　|　C　　|　Fmaj7　|　C　　|　Dm　　|

　　　　　|　C　　|　Am　|　C　G　|　C　　|　C6/9　‖

Je T'aime... Moi Non Plus

Words & Music by Serge Gainsbourg

Intro | C   F | G   F | C   F | G ‖

Verse 1

      C   F   G
Je t'aime, je t'aime, oh oui je t'aime,

Dm   **Em**
   Moi non plus.

Dm   **C**
Oh, mon amour,

F   **G F** **Em**
  Comme la vague   irrésolue.

Bridge 1

G7   **C**   **Fmaj7 G7sus4**
  Je vais, je vais et je viens

Am   **F**
Entre tes reins.

G7sus4 C   **Am**
  Je vais et je viens

F   **Dm Em F**   **G**
Entre tes reins et je me retiens.

Verse 2

N.C.   **C**   **F**   **G**
  Je t'aime, je t'aime, oh, oui je t'aime,

Dm   **Em**
  Moi non plus.

Dm   **C**
Oh mon amour,

F   **G F** **Em**
Tu es la vague,   moi l'île nue.

Bridge 2

G7   C   Fmaj7 G7sus4
  Tu vas, tu vas et tu viens,

Am   F
Entre mes reins;

G7sus4 C   Am
   Tu vas et tu viens

F   Dm Em F   G
Entre mes reins et je te rejoins.

Verse 3

        C   F   G
Je t'aime, je t'aime, oh oui je t'aime,

Dm   Em
  Moi non plus.

Dm   C
Oh, mon amour,

F   G F   Em
  Comme la vague irrésolue.

Bridge 3   As Bridge 2

Instrumental

| C | F | G | Dm | Em | | Em | Dm |
| C | F | G | F | Em | | G7 | ‖ |

Bridge 4   As Bridge 2

Verse 4   As Verse 1

Bridge 5

G   C   Fmaj7 G7sus4
  Je vais, je vais et je viens

Am   F
Entre tes reins.

G7sus4 C   Am
   Je vais et je viens,

F   Dm
Je me retiens,

Em F   G
Non! Maintenant viens...

Coda

| ‖: C | F | G | Dm | Em | | Em | Dm | |
| C | F | G | F | Em | | G7 | :‖ | *Repeat to fade* |

Just The Two Of Us

Words & Music by Ralph MacDonald, William Salter & Bill Withers

D♭maj7   C7   Fm7   E♭m7   A♭7   C7(♯5)   Em7

C7sus4   Bmaj7   B♭7sus4   B♭7   Amaj7   A♭7sus4   A♭7   G♭7

Intro | D♭maj7 C7 | Fm7   E♭m7 A♭7 | D♭maj7 C7 | Fm7 |

| D♭maj7 C7(♯5) | Fm7   E♭m7 A♭7 | D♭maj7 C7(♯5) | Fm7 |

Verse 1

    D♭maj7   C7   Fm7   E♭m7 A♭7 D♭maj7
     I see the crystal raindrops fall and the beauty of it all,

          C7   Fm7
Is when the sun comes shining through.

D♭maj7   C7   Fm7   E♭m7 A♭7   D♭
     To make those rainbows in my mind when I think of you sometim

          C7   Fm7
And I want to spend some time with you.

Chorus 1

          D♭maj7
Just the two of us,

   C7   Fm7   Em7 E♭m7
   We can make it if we try.

A♭7   D♭maj7 C7   Fm7
Just the two of us (just the two of us.)

          D♭maj7
Just the two of us,

  C7   Fm7 Em7   E♭m7
   Building castles in the sky,

A♭7   D♭maj7 C7   Fm7
Just the two of us, you and I.

D♭maj7   C7   Fm7   E♭m7 A♭7   D♭maj7

   We look for love, no time for tears, wasted water's all that is

             C7   Fm7

And it don't make no flowers grow.

D♭maj7   C7   Fm7

   Good things might come to those who wait,

       E♭m7   A♭7   D♭maj7

Not for those who wait too late

           C7   Fm7

We've got to go for all we know.

         D♭maj7

Just the two of us,

C7   Fm7   Em7 E♭m7

  We can make it if we try.

A♭7   D♭maj7 C7   Fm7

Just the two of us (just the two of us.)

         D♭maj7

Just the two of us,

C7   Fm7 Em7 E♭m7

  Building them castles in the sky,

A♭7   D♭maj7 C7   Fm7

Just the two of us, you and I.

‖: D♭maj7   C7sus4 C7 | Bmaj7 B♭7sus4 B♭7 |

| Amaj7   A♭7sus4 A♭7 | D♭maj7 G♭7   :‖

| D♭maj7 C7 | Fm7   E♭m7 A♭7 | D♭maj7 C7 | Fm7 |

D♭maj7   C7   Fm7   E♭m7 A♭7   D♭maj7

   I hear the crystal raindrops fall on the window down the hall,

         C7   Fm7

And it be - comes the morning dew.

D♭maj7   C7   Fm7   E♭m7 A♭7   D♭maj7

   And, darling, when the morning comes and I see the morning sun

         C7   Fm7

I want to be the one with you.

Chorus 3

D♭maj7
Just the two of us,

C7   Fm7   Em7 E♭m7
  We can make it if we try.

A♭7   D♭maj7 C7   Fm7
Just the two of us (just the two of us.)

D♭maj7
Just the two of us,

C7   Fm7   Em7 E♭m7
  Building big castles way on high,

A♭7   D♭maj7 C7   Fm7
Just the two of us, you and I.

Chorus 4

D♭maj7
‖: (Just the two of us,)

C7(♯5)   Fm7   Em7   E♭m7
Yeah, just the two of us. (We can make it,

A♭7   D♭maj7   C7(♯5)   Fm7
Just the two of us.) Just get it together, baby, yeah.

D♭maj7   C7(♯5)   Fm7   Em7 E♭m7
(Just the two of us,) Just the two of us. (We can make it,

A♭7   D♭maj7 C7(♯5) Fm7
Just the two of us.)   :‖ *Repeat to fade w/ad lib. sax.*

102

The Lazy Song

Words & Music by Ari Levine, Philip Lawrence,
Peter Hernandez & Keinan Abdi Warsame

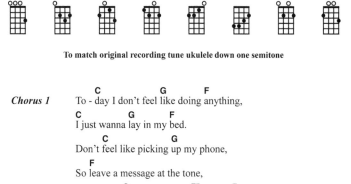

C   G   F   E7   Dm   Em   G6   Am7

To match original recording tune ukulele down one semitone

Chorus 1

        C   G   F
To - day I don't feel like doing anything,
C   G   F
I just wanna lay in my bed.
       C   G
Don't feel like picking up my phone,
 F
So leave a message at the tone,
        C   E7   F
'Cause to - day I swear I'm not doing anything.

Verse 1

N.C.   C   G
I'm gonna kick my feet up then stare at the fan,
F
Turn the TV on, throw my hand in my pants,
C   G   F
Nobody's gonna tell me I can't.
       C   G
No, I'll be lounging on the couch, just chillin' in my snuggie,
F
Click to M.T.V., so they can teach me how to dougie,
       C   G   F
'Cause in my castle I'm the freak - ing man.
       Dm   Em   F   G
Oh, yes I said it,   I said it, I said it 'cause I can.

Chorus 2

     C   G   F
To - day I don't feel like doing anything,

C   G   F
I just wanna lay in my bed,

   C   G
Don't feel like picking up my phone,

  F
So leave a message at the tone,

         C   E7   C
'Cause to - day I swear I'm not doing anything,

N.C.   C   G   F
Nothing at all,   ooh, hoo,   ooh, hoo, ooh, ooh, ooh.

              C   G   F
Nothing at all,   ooh, hoo,   ooh, hoo, ooh, ooh, ooh.

Verse 2

(F)   C   G
Tomorrow I'll wake up, do some P90X

     F
Meet a really nice girl, have some really nice sex

    C   G   F
And she's gonna scream out: "This is great."

(Oh my God, this is great.) Yeah.

  C   G
I might mess around and get my college degree,

  F
I bet my old man will be so proud of me.

  C   G   F
But sorry pops, you'll just have to wait.

   Dm   Em   D   G
Oh, yes I said it,   I said it, I said it 'cause I can.

Chorus 3

     C   G   F
To - day I don't feel like doing anything,

C   G   F
I just wanna lay in my bed.

   C   G
Don't feel like picking up my phone,

  F
So leave a message at the tone,

         C   E7   F
'Cause to - day I swear I'm not doing anything.

Bridge

N.C. Dm   **G6**
No, I ain't gonna comb my hair,

    Am7
'Cause I ain't going anywhere,

Dm   **G6**   **Am7**
No, no, no, no, no, no, no, no, no.____

       Dm   **G6**
I'll just strut in my birthday suit

      Am7
And let everything hang loose,

Dm   **G6**   **Am7**
Yeah, yeah, yeah, yeah, yeah, yeah, yeah, yeah, yeah, yeah.

Chorus 4

N.C.   **C**   **G**   **F**
Oh, to - day I don't feel like doing anything,

C   **G**   **F**
I just wanna lay in my bed.

      C   **G**
Don't feel like picking up my phone,

   F
So leave a message at the tone,

       C   **E7**   **F**
'Cause to - day I swear I'm not doing anything,

N.C.   **C**   **G**   **F**
Nothing at all,   ooh, hoo,   ooh, hoo, ooh, ooh, ooh.

            C   **G**   **F**
Nothing at all,   ooh, hoo,   ooh, hoo, ooh, ooh, ooh.

Nothing at all.

Killing Me Softly
With His Song

Words by Norman Gimbel
Music by Charles Fox

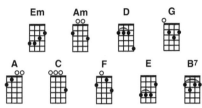

To match original recording tune ukulele up one semitone

Chorus 1

Em   Am
Strumming my pain with his fin - gers,

D   G
Singing my life with his words,

Em   A
Killing me softly with his song,

            D   C
Killing me soft - ly with his song,

         G   C
Telling my whole life with his words,

      F   E
Killing me softly with his song.

Link   *Drum rhythm for 8 bars (with ad lib. lead vocal)*

Verse 1

(Am)   (D)
  I heard he sang a good song,

(G)   (C)
  I heard he had a style,

(Am)   (D)
 And so I came to see him

   (Em)
And listen for a while.

(Am)   (D)
  And there he was, this young boy,

(G)   (B7)
  A stranger to my eyes.

Chorus 2

Em　　　　　　　　　　　　　**Am**
Strumming my pain with his fin - gers,

D　　　　　　　**G**
Singing my life with his words,

Em　　　　　　　　**A**
Killing me softly with his song,

　　　　　　　　　D　　　**C**
Killing me soft - ly with his song,

　　　　　　　G　　　　　**C**
Telling my whole life with his words,

　　　　　F　　　　　　　**E**
Killing me softly with his song.

Verse 2

(Am)　　**(D)**　　　　　　　　**(G)**
　I felt all flushed with fever,

　　　　　　　　(C)
Embarrassed by the crowd,

(Am)　　　　　**(D)**
　I felt he found my letters

　　　(Em)
And read each one out loud.

(Am)　　　　　　　**(D)**
　I prayed that he would finish,

(G)　　　　　　　　**(B7)**
　But he just kept right on…

Chorus 3

As Chorus 2

Middle

Em　　**Am**　　　**D**　　**G**
Oh, ＿＿＿＿ oh, ＿＿＿＿

Em　　　**A**
La la la la la la,

D　　**C**　　**G**　　**C**　**F**　**E**
Woh la, woh la, ＿＿＿＿ la.

Chorus 4

𝄆 As Chorus 2 𝄇　*Repeat to fade with ad lib. vocal*

Lay, Lady, Lay

Words & Music by Bob Dylan

A   C#m   G   Bm   E   F#m   D

Intro

‖: A C#m │ G Bm :‖

Chorus 1

     A   C#m G   Bm   A   C#m G Bm
Lay, lady, lay,   lay across my big brass bed

     A   C#m G   Bm   A   C#m G Bm
Lay, lady, lay,   lay across my big brass bed

Verse 1

     E   F#m   A
Whatever colors you have in your mind

     E   F#m A
I'll show them to you and you'll see them shine

Chorus 2

     A   C#m G   Bm   A   C#m G Bm
Lay, lady, lay,   lay across my big brass bed

     A   C#m G   Bm   A C#m G Bm
Stay, lady, stay,   stay with your man awhile

     A   C#m
Until the break of day,

     G   Bm   A C#m G Bm
Let me see you make him smile

Verse 2

     E   F#m   A
His clothes are dirty but his hands are clean

     E   F#m   A
And you're the best thing that he's ever seen

Chorus 3

     A   C#m G   Bm   A C#m G Bm
Stay, lady, stay,   stay with your man awhile

108

C#m   E D A
Why wait any longer for the world to begin

C#m   Bm   A
You can have your cake and eat it too

C#m   E D A
Why wait any longer for the one you love

      C#m   Bm
When he's standing in front of you

A   C#m G   Bm   A C#m G Bm
Lay, lady, lay, lay across my big brass bed

A   C#m G   Bm   A C#m G Bm
Stay, lady, stay, stay while the night is still ahead

E   F#m   A
I long to see you in the morning light

E   F#m   A
I long to reach for you in the night

A   C#m G   Bm   A C#m G Bm
Stay, lady, stay, stay while the night is still ahead

| A Bm | C#m D | A |

Let Her Go

Words & Music by Michael Rosenberg

| C | D | Em | G | Cmaj7 | Bm | Dsus4 |

Intro

C	C D	Em	D	
C	C D	Em	Em D	
C	C D	Em	D	
C	C D	Em	

Chorus 1

Em   D   C   G
Well, you only need the light when it's burning low,
Em   D   Em
Only miss the sun when it starts to snow,
                  C   G D
Only know you love her when you let her go.
                     C   G
Only know you've been high when you're feeling low,
              D   Em
Only hate the road when you're missing home,
                  C   G D
Only know you love her when you let her go,

And you let her go.

Link 1

| Em | Cmaj7 | D | Bm | |
| Em | Cmaj7 | D | Dsus4   D ||

Verse 1

Em   Cmaj⁷
Staring at the bottom of your glass,

    D   Bm
Hoping one day you'll make a dream last,

      Em   Cmaj⁷ D Dsus⁴ D
But dreams come slow and they go so fast.

   Em   Cmaj⁷
You see her when you close your eyes,

    D   Bm
Maybe one day you'll understand why

       Em   Cmaj⁷ D
Everything you touch surely dies.

Chorus 2

Dsus⁴ D   Cmaj⁷   G
 But you only need the light when it's burning low,

       D   Em
Only miss the sun when it starts to snow,

      Cmaj⁷   G D
Only know you love her when you let her go.

Dsus⁴ D   Cmaj⁷   G
 Only know you've been high when you're feeling low,

      D   Bm
Only hate the road when you're missing home,

      Cmaj⁷   G D Dsus⁴ D
Only know you love her when you let her go.

Verse 2

Em   Cmaj⁷
Staring at the ceiling in the dark,

   D   Bm
Same old empty feeling in your heart

        Em   Cmaj⁷ D Dsus⁴ D
'Cause love comes slow and it goes so fast.

    Em   Cmaj⁷
Well, you see her when you fall a - sleep,

    D   Bm
But never to touch and never to keep,

       Em   Cmaj⁷ D
'Cause you loved her too much and you dived too deep.

Chorus 3

Dsus⁴   D   Cmaj⁷   G
 Well, you only need the light when it's burning low,

     D   Em
Only miss the sun when it starts to snow,

    Cmaj⁷   G D
Only know you love her when you let her go.

cont.

Dsus⁴ D   **Cmaj⁷**   **G**
Only know you've been high when you're feeling low,

        D   **Em**
Only hate the road when you're missing home,

       Cmaj⁷   **G D**
Only know you love her when you let her go.

Dsus⁴   **D**   **Em**   **Cmaj⁷ D**
And you let her go,____ oh, oh, oh no.

Dsus⁴   **D**   **Em**   **Cmaj⁷ D**
And you let her go,____ oh, oh, oh no.

Dsus⁴   **D**   **(Em)**
Will you let her go?____

Instrumental | **Em** | **Cmaj⁷** | **D** | **Bm** |

                 | **Em** | **Cmaj⁷** | **D**   ‖

Chorus 4

Dsus⁴   **D**   **Cmaj⁷**   **G**
'Cause you only need the light when it's burning low,

        D   **Em**
Only miss the sun when it starts to snow,

       Cmaj⁷   **G D**
Only know you love her when you let her go.

Dsus⁴ D   **Cmaj⁷**   **G**
Only know you've been high when you're feeling low,

        D   **Em**
Only hate the road when you're missing home,

       Cmaj⁷   **G D**
Only know you love her when you let her go.

Chorus 5

Dsus⁴   **D**   **Cmaj⁷**   **G**
'Cause you only need the light when it's burning low,

        D   **Em**
Only miss the sun when it starts to snow,

       Cmaj⁷   **G D**
Only know you love her when you let her go.

N.C.
Only know you've been high when you're feeling low,

Only hate the road when you're missing home,

Only know you love her when you let her go.

And you let her go.

112

Lightning Bolt

Words & Music by Jake Bugg & Iain Archer

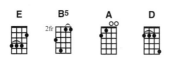

E   B5   A   D

Intro   ‖: E   B5 A | E   B5 A :‖

Verse 1

E   B5   A   E
Morning, it's a - nother pure grey morning,

    B5   A   E
Don't know what the day is holding,

    B5   A
And I get uptight and I'm gonna

E   B5   A   E B5 A E B5 A
Walk right into the path of a lightning bolt.

Verse 2

      E   B5   A
The siren of an ambulance comes

E   B5   A   E
Howling right through the centre of town

      B5   A
And no-one blinks an eye

      E   B5   A   E B5 A E B5 A
And I look up to the sky for the path of a lightning bolt.

Verse 3

E   B5   A   E
Met her, as the angels parted for her,

    B5 A   E
But she only brought me torture,

    B5   A
But that's what happens when it's

E   B5   A   E B5 A E
You that's standing in the path of a lightning bolt.

Bridge 1
      A   D
Everyone I see just walks the walk with gritted teeth,

     A E
But I just stand by and I wait my time.

           A   D
They say you gotta toe the line, they want the water not the wine,

     A E   B5   A
But when I see the signs I jump on that lightning bolt.

Link 1   ‖: E   B5 A │ E   B5 A :‖

Verse 4
        E   B5   A E
And chances, people tell you not to take chances

          B5   A   E
When they tell you there aren't any answers

        B5
And I was starting to agree

        E   B5   A   E B5 A E B5
But I a - woke suddenly in the path of a lightning bolt.

Verse 5
E   B5   A   E
Fortune, people talking all about fortune;

       B5   A   E
Do you make it or does it just call you?

      B5   A
In the blinking of an eye,

        E   B5   A   E B5 A E
Just an - other passer-by in the path of a lightning bolt.

Bridge 2   As Bridge 1

Link 2   ‖: E   B5 A │ E   B5 A :‖ E   B5 A ‖

```
              E              B5        A     E
Verse 6       In the silence, I was lying back gazing skyward
                    B5      A    E
              When the moment got shattered,
              B5                A
              I remembered what she said
                    E                  B5        A        (E)
              And then she fled in the path of a lightning bolt.


Outro          │ E    B5 A │ E    B5 A │ E    B5 A │ E          ‖
```

Let It Grow

Words & Music by Eric Clapton

Bm   F#7   Bm7   E   G   A

B   Bmaj7   G#m   G#m7   D   Em7

Verse 1

       Bm   F#7   Bm7   E
       Standing at the crossroads trying to read the signs,

       G   A   Bm   F#7
       To tell me which way I should go to find the answer.

              Bm7   E
       And all the time I know,

       G   A   B
       Plant your love and let it grow.

Chorus 1

       B   Bmaj7   G#m   G#m7
        Let it grow, let it grow, _____

       E   B   A
        Let it blossom, let it flow.

       B   Bmaj7   G#m   G#m7
        In the sun, the rain, the snow, _____

       E   B   A   F#7
        Love is lovely,   let it grow.

Verse 2

       Bm   F#7   Bm7   E
       Looking for a reason to check out on my mind,

       G   A   Bm   F#7
       It ain't hard to get a friend that I can count on.

              Bm7   E
       There's nothing left to show,

       G   A   B
       Plant your love and let it grow.

B   **Bmaj⁷**   **G♯m**   **G♯m⁷**
Let it grow, let it grow, _____

E   **B**   **A**
Let it blossom, let it flow.

B   **Bmaj⁷**   **G♯m**   **G♯m⁷**
In the sun, the rain, the snow, _____

E   **B**   **A**   **F♯⁷**
Love is lovely,   let it grow (let it grow).

| G D | Em⁷ Bm | A | G D | Em⁷ Bm | F♯⁷ | F♯⁷ ‖

| Bm F♯⁷ | Bm⁷ E | G A | Bm F♯⁷ | Bm⁷ E | G A ‖

Bm   **F♯⁷**   **Bm⁷**   **E**
Time is getting shorter and there's much for you to do.

G   **A**   **Bm**   **F♯⁷**
Only ask 'n' you will get what you are needin',

    Bm⁷   **E**
The rest is up to you,

G   **A**   **B**
Plant your love and let it grow.

B   **Bmaj⁷**   **G♯m**   **G♯m⁷**
Let it grow, let it grow, _____

E   **B**   **A**
Let it blossom, let it flow.

B   **Bmaj⁷**   **G♯m**   **G♯m⁷**
In the sun, the rain, the snow, _____

E   **B**   **A**
Love is lovely,   so let it...

B   **Bmaj⁷**   **G♯m**   **G♯m⁷**
Let it grow, let it grow, _____

E   **B**   **A**
Let it blossom, let it flow.

B   **Bmaj⁷**   **G♯m**   **G♯m⁷**
In the sun, the rain, the snow, _____

E   **B**   **A**   **F♯⁷**
Love is lovely,   let it grow.

‖: Bm F♯⁷ | Bm⁷ E | G A :‖ *Repeat 10 times to fade*

Life On Mars?

Words & Music by David Bowie

Verse 1

     F   **Am**   **Cm**
It's a god-awful small affair
     D7
To the girl with the mousey hair
Gm   **B♭**   **C7**
   But her mummy is yelling "No,"
                      F
And her daddy has told her to go.

       Am   **Cm**
But her friend is nowhere to be seen
     D7
Now she walks through her sunken dream
Gm   **B♭**   **C7**
   To the seat with the clearest view

And she's hooked to the silver screen.

Pre-chorus 1

     A♭   **Eaug**   **Fm**
   But the film is a saddening bore
         G♯7
For she's lived it ten times or more.
  C♯   **Aaug**   **B♭m**
   She could spit in the eyes of fools
     C♯7
As they ask her to focus on:

Chorus 1

B♭   **E♭**
Sailors fighting in the dance hall,

Gm7   **F♯aug**   **F**
  Oh man! Look at those cavemen go.

Fm   **Cm7**
  It's the freakiest show.

E♭m7   **B♭**
  Take a look at the Lawman

E♭
Beating up the wrong guy.

Gm   **F♯aug**
  Oh man! Wonder if he'll ever know

F **Fm**   **Cm7**
   He's in the best-selling show?

E♭m7   **Gm7** **F♯aug** **B♭** **Em7♭5**
  Is there life on Mars?_____

Link | **F**   **F♯dim** | **Gm** **Ddim** | **Am** **B♭** | **B♭m**   ‖

Verse 2

F   **Am**   **Cm**
  It's on Amerika's tortured brow

       D7
That Mickey Mouse has grown up a cow.

Gm   **B♭**   **C7**
  Now the workers have struck for fame

'Cause Lennon's on sale again.

F   **Am**   **Cm**
  See the mice in their million hordes

    D7   **Gm**
From Ibiza to the Norfolk Broads.

    B♭   **C7**
'Rule Britannia' is out of bounds

To my mother, my dog, and clowns.

Pre-chorus 2

A♭   **Eaug**   **Fm**
  But the film is a saddening bore

    G♯7
'Cause I wrote it ten times or more.

C♯   **Aaug**   **B♭m**
  It's about to be writ again

    C♯7
As I ask you to focus on:

Chorus 2   As Chorus 1

Coda | **F** **F♯dim** | **Gm** **B♭** | **B♭** | **E♭** **E♭m** | **B♭** ‖

Livin' Thing

Words & Music by Jeff Lynne

Intro

| C | C | B♭m | B♭m |

| C | C | B♭m | B♭m |

| F | F G | C | C G ‖

Verse 1

C
Sailin' away on the crest of a wave

    Am
It's like magic

A♭
Rollin' and ridin' and slippin' and slidin'

      Fm
It's magic

Pre-chorus 1

    Em   Dm
And you, and your sweet de - sire,

       Em Dm Em   F   G
You took me,   higher and higher, baby

Chorus 1

C   Am
  It's a livin' thing,

F   Dm   G   C
  It's a terrible thing to lose

       Am
It's a given thing

F   Dm   G   C
  What a terrible thing to lose

| *Bridge 1* | | C | | B♭m | | B♭m | | C | | |
| | | C | | B♭m | | B♭m G | | C | | C G |

Verse 2
C
Making believe this is what you've conceived
　　　Am
From your worst day,
A♭
Moving in line when you look back in time
　　Fm
To your first day

Pre-chorus 2　As Pre-chorus 1

Chorus 2　As Chorus 1

| *Bridge 2* | | C | | B♭m | | B♭m | | F | | |
| | | F G | | C | | C G | |

Verse 3
C
Takin' a dive 'cause you can't halt the slide
　　　Am
Floating downstream,
A♭
So let her go don't start spoiling the show
　　Fm
It's a bad dream

Pre-chorus 3　As Pre-chorus 1

Chorus 3　As Chorus 1

Outro　‖: As Chorus 1 :‖ *Repeat to fade*

Lola

Words & Music by Ray Davies

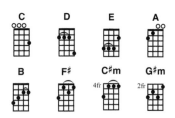

Intro | C D | E ‖

Verse 1
    E
I met her in a club down in old Soho,
       A   D   E
Where you drink champagne and it tastes just like cherry-cola.
    A
C.O.L.A. cola.
    E
She walked up to me and she asked me to dance,
    A   D   E
I asked her her name and in a dark brown voice she said, "Lola."
    A D   C   D
L.O.L.A. Lola, la-la-la-la Lola.

Link 1 | E | E ‖

Verse 2
    E
Well I'm not the world's most physical guy,
       A   D
But when she squeezed me tight she nearly broke my spine,
    E   A
Oh my Lola, la-la-la-la Lola.
    E
Well I'm not dumb but I can't understand,
    A   D
Why she walked like a woman and   talked like a man,
    E   A D   C   D
Oh my Lola, la-la-la-la Lola, la-la-la-la Lola.

Link 2   As Link 1

        B
Bridge 1   Well, we drank champagne and danced all night,
      F#
      Under electric candlelight.

      A
      She picked me up and sat me on her knee,

      And said, "Dear boy, won't you come home with me?"

      E
Verse 3   Well, I'm not the world's most passionate guy,
          A   **D**   **E**
      But when I looked in her eyes, well, I almost fell for my Lola.
      A   **D**   **C**   **D**
      La-la-la-la Lola, la-la-la-la Lola.

      E   **A**   **D**   **C**   **D**
Chorus 1   Lola, la-la-la-la Lola, la-la-la-la Lola.

Link 3   As Link 1

      A   **C#m B**   **A**   **C#m B**
Bridge 2   I pushed her away, I walked to the door,
      A **C#m B**   **E**   **G#m** **C#m**
      I fell to the floor, I got down on my knees,
      B
      Then I looked at her and she at me.

      E
Verse 3   Well that's the way that I want it to stay,
         A   **D**   **E**
      And I always want it to be that way for my Lola,
      A
      La-la-la-la Lola.
      E
      Girls will be boys and boys will be girls,
         A   **D**   **E**
      It's a mixed up, muddled up, shook up world except for Lola,
      A
      La-la-la-la Lola.

Bridge 3   **B**
Well I left home just a week before,

    F♯
And I'd never ever kissed a woman before,

    A
But Lola smiled and took me by the hand,

And said, "Little boy, I'm gonna make you a man."

Verse 4   **E**
Well I'm not the world's most masculine man,

    A   **D**
But I know what I am and I'm glad I'm a man,

    E   **A** **D**   **C** **D**
And so is Lola, la-la-la-la Lola, la-la-la-la Lola.

Chorus 2 ‖: **E**   **A**   **C** **D**
            Lola, la-la-la-la Lola, la-la-la-la Lola. :‖ *Repeat to fade*

Love Is Easy

Words & Music by Thomas Fletcher, Daniel Jones & Dougie Poynter

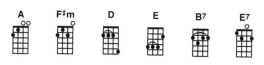

| A | F#m | D | E | B7 | E7 |

Intro
        A   **F#m**
Do, do, do, do, do, do.

               D
Do, do, do, do, do, do.

E   **A**
Do, do, do, do, do, do.

Verse 1
                              B7
Today, I'm laughing the clouds a - way,

               D
I hear what the flowers say,

               A
And drink every drop of rain.

                    B7
And I see places that I have been,

               D
In ways that I've never seen.

               A
My side of the grass is green.

Pre-chorus 1   **E**
Oh, I can't believe that it's so simple,

          E7
It feels so natural to me.

Chorus 1

D   A   E
If this is love, then love is easy,

     F#m   E   D
It's the easiest thing to do.

    A   E
If this is love, then love com - pletes me,

     F#m   E   D
'Cause it feels like I've been missing you.

        A   F#m
A simple e - quation with no compli - cations

          E
To leave you con - fused.

    B7
If this is love, love, love,

D   A
  Mm, it's the easiest thing to do.

Link 1

Do, do, do, do, do, do,

F#m
Do, do, do, do, do, do, do,

D   E
Do, do, do, do, do, do, do.

Verse 2

      A   B7
Do you feel the way that I do?

              D
Do I turn your grey skies blue

                 A
And make dirty streets look new?

             B7   D
And the birds sing tweet, tweetily, dee, dee, dee.

                  A
And now I know exactly what they mean.

Pre-chorus 2   As Pre-chorus 1

Chorus 2   As Chorus 1

Link 2	**A** ‖: Do, do, do, do, do, do, do, **F♯m** Do, do, do, do, do, do, do, **D** **E** Do, do, do, do, do, do, do. :‖
Bridge	**A** **N.C.** Do, woo, ooh, ooh. Woo, ooh, ooh, woo, ooh, ooh, ooh.
Chorus 3	As Chorus 1
Outro	**A** ‖: Do, do, do, do, do, do, do, **F♯m** Do, do, do, do, do, do, do, **D** **E** **A** Do, do, do, do, do, do, do, do. :‖

Lost Cause

Words & Music by Beck Hansen

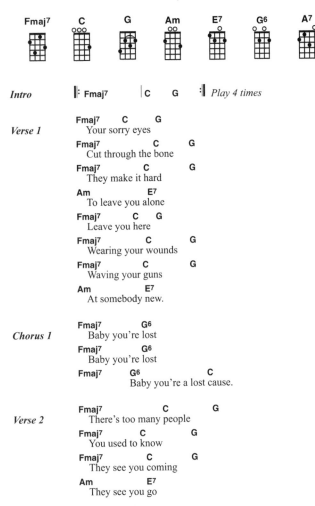

Fmaj7   C   G   Am   E7   G6   A7

Intro ‖: Fmaj7 |C G :‖ *Play 4 times*

Verse 1

Fmaj7   C   G
  Your sorry eyes

Fmaj7   C   G
  Cut through the bone

Fmaj7   C   G
  They make it hard

Am   E7
  To leave you alone

Fmaj7   C   G
  Leave you here

Fmaj7   C   G
  Wearing your wounds

Fmaj7   C   G
  Waving your guns

Am   E7
  At somebody new.

Chorus 1

Fmaj7   G6
  Baby you're lost

Fmaj7   G6
  Baby you're lost

Fmaj7   G6   C
  Baby you're a lost cause.

Verse 2

Fmaj7   C   G
  There's too many people

Fmaj7   C   G
  You used to know

Fmaj7   C   G
  They see you coming

Am   E7
  They see you go

cont.

Fmaj7   C   G
They know your secrets

Fmaj7   C   G
And you know theirs

Fmaj7   C   G
This town is crazy;

Am   E7
Nobody cares.

Chorus 2   As Chorus 1

Link 1 | A7

Chorus 3

Fmaj7   G6
I'm tired of fighting

Fmaj7   G6
I'm tired of fighting

Fmaj7   G6   C
Fighting for a lost cause.

Bridge

A7   Fmaj7   C   G
There's a place where you are going

A7   Fmaj7   C   G
You ain't never been before

A7   Fmaj7   C   G
No one left to watch your back now

Fmaj7   C
No one standing at your door

Fmaj7   C
That's what you thought love was for.

Chorus 4   As Chorus 1

Link 2 | A7

Chorus 5   As Chorus 3

Outro | C | C | C | C︵ ||

The Lovecats

Words & Music by Robert Smith

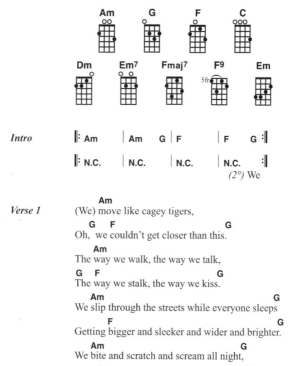

Intro ‖: Am | Am G | F | F G :‖

‖: N.C. | N.C. | N.C. | N.C. :‖

(2°) We

Verse 1
       Am
(We) move like cagey tigers,

G F   **G**
Oh, we couldn't get closer than this.

       Am
The way we walk, the way we talk,

G F   **G**
The way we stalk, the way we kiss.

       Am   **G**
We slip through the streets while everyone sleeps

          F   **G**
Getting bigger and sleeker and wider and brighter.

    Am   **G**
We bite and scratch and scream all night,

    F   **G**
Let's go and throw all the songs we know…

Pre-chorus 1
   C
Into the sea, you and me,

       Dm
All these years and no one heard.

     C
I'll show you in spring it's a treacherous thing,

     Dm
We miss you hissed the…

	Am		**F**	
Chorus 1	Love - cats.		We missed you hissed the	

        (Ba, ba ba ba ba ba ba-ba.   Ba, ba ba ba ba ba ba-ba.)

Am   **F**   **G**

Love - cats.   We're so

        (Ba, ba ba ba ba ba ba-ba. Ba, ba ba ba ba ba ba-ba.)

Am

Verse 2   Wonderfully, wonderfully, wonderfully,

G   **F**   **G**

Wonderfully pretty.

        Am   **G**   **F**

Oh, you know that I'd do anything for you.

     G   **Am**

We should have each other to tea, huh?

     G   **F**

We should have each other with cream

G   **Am**   **G**

Then curl up in the fire and sleep for a while

     F

It's the grooviest thing, it's the perfect dream.

Pre-chorus 2   As Pre-chorus 1

        Am   **F**

Chorus 2   Love - cats. We missed you hissed the

        Am   **F**

Love - cats. We missed you hissed the

        Am   **F**

Love - cats.   We missed you   hissed the

        (Ba, ba ba ba ba ba ba-ba.   Ba, ba ba ba ba ba ba-ba.)

        Am   **F**

Love - cats.

           Am

Verse 3   We're so wonderfully, wonderfully, wonderfully,

G   **F**   **G**

Wonderfully pretty.

        Am   **G**   **F**

Oh, you know that I'd do anything for you.

     G   **Am**

We should have each other to dinner,

     G   **F**

We should have each other with cream.

G   **Am**   **G**

Then curl up in the fire get up for a while

     F

It's the grooviest thing, it's the perfect dream.

Bridge

Em
Hand in hand is the only way to land

    Fmaj7
And always the right way around.

    Em7
Not broken in pieces like hated little meeces,

    F   **Am**
How could we miss someone as dumb as this.

F   **Am**
Missed you hissed the lovecats.

    Fmaj7   **Am**   **F**   **Am**
We miss…

F
   I love you, let's go!

Outro

$\| {:}$ **Am** | **Am** | **F** | **F**   **G** ${:}\|$

$\| {:}$ **Am** | **Am** | **F9** | **F9** ${:}\|$ *Play 4 times*

| **Em** | **Fmaj7** | **Em** | **Fmaj7** |

| **Em** | **Fmaj7** | **N.C.** | **N.C.** | **Am** ‖

More Than Words

Words & Music by Nuno Bettencourt & Gary Cherone

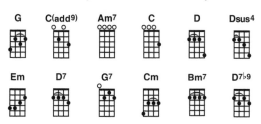

To match original recording tune ukulele down one semitone

Intro   ‖: G | Cadd9 | Am7 | C   D   Dsus4 :‖

Verse 1

      G   Cadd9
    Saying I   love you

Am7
Is not the words

   C   D   Dsus4 G
I want to hear from   you.

           Cadd9
It's not that I   want you,

Am7
   Not to say

     C   D   Dsus4 Em
But if you on - ly   knew

     Am7 D7
How easy it would be

     G   D   Em
To show me how you feel.

Pre-chorus 1

          Am7
More than words

  D7   G7
Is all you have to do

       C
To make it real,

cont.

Cm   G
Then you wouldn't have to say

        Em
That you love me

    Am⁷ D⁷   G
'Cause I'd already know.

Chorus 1

                D
What would you do

      Em   Bm⁷ C
If my heart was torn in two?

                  G   Am⁷
More than words to show you feel

        D⁷   G
That your love for me is real.

              D
What would you say

      Em   Bm⁷ C
If I took those words away?

                  G   Am⁷
Then you couldn't make things new

     D⁷   G |Cadd⁹ |Am⁷ |
Just by saying I love you. _____

C D   Dsus⁴|G | Cadd⁹ |Am⁷|D⁷   ‖
   More than   words.

Verse 2

G   Cadd⁹
  Now that I've tried to

Am⁷
  Talk to you

      C   D Dsus⁴ G
And make you under -   stand.

          Cadd⁹
All you have to do

    Am⁷
Is close your eyes

      C   D Dsus⁴ Em
And just reach out your   hand

Am⁷
And touch me

D⁷
Hold me close,

      G   D   Em
Don't ever let me go.

Pre-chorus 2

N.C.   **Am7**
More than words

D7
Is all I ever

G7   **C**
Needed you to show,

        Cm   **G**
Then you wouldn't have to say

        Em
That you love me

        Am7   **D7**   **D7♭9** **G**
'Cause I'd al - rea - dy   know.

Chorus 2

             D
What would you do

        Em   **Bm7**   **C**
If my heart was torn in two?

                      G   **Am7**
More than words to show you feel

        D7   **G**
That your love for me is real.

           D
What would you say

        Em   **Bm7**   **C**
If I took those words away

                  G   **Am7**
Then you couldn't make things new

        D7   **G**
Just by saying I love you.

Lust For Life

Words & Music by David Bowie & Iggy Pop

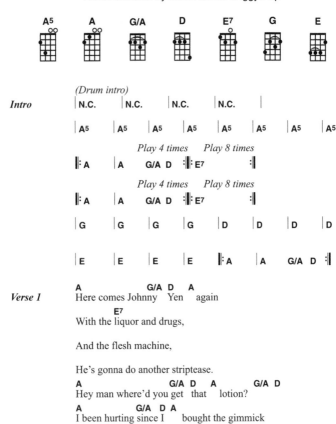

Intro	*(Drum intro)*	

Intro   (Drum intro)
| N.C. | N.C. | N.C. | N.C. | |

| A5 | A5 | A5 | A5 | A5 | A5 | A5 | A5 |

Play 4 times   *Play 8 times*

‖: A | A   G/A D :‖: E7 | :‖

Play 4 times   *Play 8 times*

‖: A | A   G/A D :‖: E7 | :‖

| G | G | G | G | D | D | D | D |

| E | E | E | E ‖: A | A   G/A D :‖

Verse 1

A   G/A D A
Here comes Johnny Yen again

    E7
With the liquor and drugs,

And the flesh machine,

He's gonna do another striptease.

A   G/A D A   G/A D
Hey man where'd you get that lotion?

A   G/A D A
I been hurting since I bought the gimmick

   E7
About something called love,

Yeah something called love

Well that's like hypnotizing chickens.

Chorus 1

G
Well I am just a modern guy,

D
Of course I've had it in the ear before

E
'Cause of a lust for life

A   N.C.
'Cause of a lust for life.

(Bass only) | (A5) | (A5) | (A5) | (A5) |

Verse 2

(A)
I'm worth a million in prizes

(E)
With my torture film

Drive a G.T.O.

Wear a uniform,

All on a government loan.

A   G/A D A   G/A
I'm worth a million in prizes

D   A   D   A
Yeah I'm through with sleeping on the sidewalk

E7
No more beating my brains, no more beating my brains

With the liquor and drugs, with the liquor and drugs.

Chorus 2

G
Well I am just a modern guy

D
Of course I've had it in the ear before

E
'Cause of a lust for life,

A   D   A
'Cause of a lust for life.

D   A   D   A
I got a lust for life

D   E7
Got a lust for life

Oh a lust for life

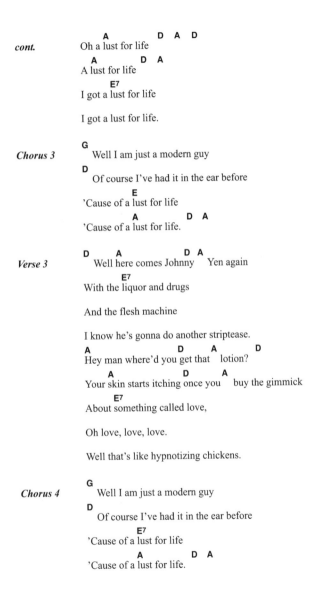

cont.

    A   **D** **A** **D**
Oh a lust for life

    A   **D** **A**
A lust for life

     E7
I got a lust for life

I got a lust for life.

Chorus 3

 G
   Well I am just a modern guy

D
   Of course I've had it in the ear before

   E
'Cause of a lust for life

   A   **D** **A**
'Cause of a lust for life.

Verse 3

D   **A**   **D** **A**
  Well here comes Johnny   Yen again

   E7
With the liquor and drugs

And the flesh machine

I know he's gonna do another striptease.

A   **D**   **A**   **D**
Hey man where'd you get that lotion?

A   **D**   **A**
Your skin starts itching once you buy the gimmick

  E7
About something called love,

Oh love, love, love.

Well that's like hypnotizing chickens.

Chorus 4

 G
   Well I am just a modern guy

D
   Of course I've had it in the ear before

   E7
'Cause of a lust for life

   A   **D** **A**
  'Cause of a lust for life.

D   **A**
Got a lust for life

D   **A**
Yeah a lust for life,

E7
I got a lust for life,

I got a lust for life,

I got a lust for life,

I got a lust for life,

     A   **D**
‖: I got a lust for life. :‖ *Repeat to fade*

Nothing Else Matters

Words & Music by James Hetfield & Lars Ulrich

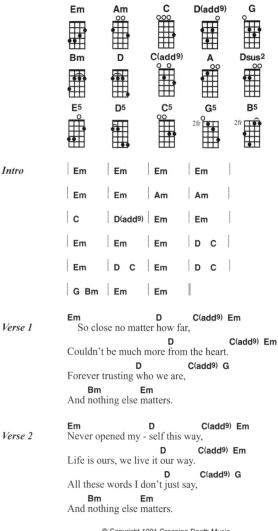

Intro

| Em | Em | Em | Em |

| Em | Em | Am | Am |

| C | D(add9) | Em | Em |

| Em | Em | Em | D C |

| Em | D C | Em | D C |

| G Bm | Em | Em |

Verse 1

Em   D   C(add9) Em
 So close no matter how far,

           D   C(add9) Em
Couldn't be much more from the heart.

        D   C(add9) G
Forever trusting who we are,

   Bm   Em
And nothing else matters.

Verse 2

Em   D   C(add9) Em
Never opened my - self this way,

         D   C(add9) Em
Life is ours, we live it our way.

        D   C(add9) G
All these words I don't just say,

   Bm   Em
And nothing else matters.

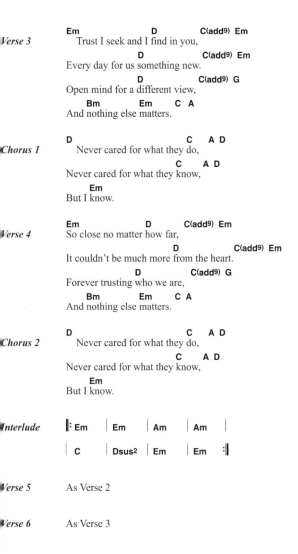

Verse 3

```
Em                    D              C(add9) Em
   Trust I seek and I find in you,
                      D              C(add9) Em
Every day for us something new.
                      D              C(add9) G
Open mind for a different view,
      Bm          Em      C  A
And nothing else matters.
```

Chorus 1

```
D                            C    A D
   Never cared for what they do,
                      C      A D
Never cared for what they know,
      Em
But I know.
```

Verse 4

```
Em                D          C(add9) Em
So close no matter how far,
                      D                C(add9) Em
It couldn't be much more from the heart.
              D              C(add9) G
Forever trusting who we are,
      Bm          Em      C  A
And nothing else matters.
```

Chorus 2

```
D                            C    A D
   Never cared for what they do,
                      C      A D
Never cared for what they know,
      Em
But I know.
```

Interlude

```
‖: Em   | Em    | Am    | Am    |

 | C     | Dsus2 | Em    | Em    :‖
```

Verse 5   As Verse 2

Verse 6   As Verse 3

Chorus 3

```
              D                          C     A D
                Never cared for what they say,
                                  C     A D
              Never cared for games they play.
                                C     A D
              Never cared for what they do,
                                C     A D
              Never cared for what they know,
                  Em
              And I know.
```

Solo

```
| E5      | D5 C5 | E5      | D5 C5 |

| E5      | D5 C5 | G5 B5 | E5      ‖

| Em      | Em      |
```

Verse 7

```
              Em                    D       C(add9) Em
                So close no matter how far,
                                  D              C(add9) Em
              Couldn't be much more from the heart.
                            D           C(add9) G
              Forever trusting who we are,
                  Bm          Em
              No, nothing else matters.
```

Outro   ‖: Em | Em | Em | Em   :‖ *Repeat to fade*

She Said

Words & Music by Eric Appapoulay, Tom Goss,
Richard Cassell & Benjamin Drew

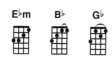

E♭m   B♭   G♭

Intro | E♭m | E♭m | E♭m | E♭m ‖

Verse 1

E♭m
She said, "I love you boy, I love you so."

                                   B♭
She said, "I love you baby oh, oh, oh, oh, oh."

E♭m
   She said, "I love you more than words can say."

                              B♭
She said, "I love you bay - ay - ay - ay - ay - by."

Link 1 | E♭m | E♭m | E♭m | E♭m ‖

Verse 2

E♭m
   So I said, "What you sayin' girl, it can't be right,

B♭
   How can you be in love with me?

We only just met tonight."

E♭m
   So she said, "Boy, I loved you from the start,

B♭
   When I first heard 'Love Goes Down',

Something started burning in my heart."

G♭   B♭
   I said, "Stop this crazy talk,

G♭   B♭
   And leave right now and close the door."

cont.

E♭m
She said,   "But I love you boy, I love you so."

                              B♭
She said, "I love you baby oh, oh, oh, oh,   oh."

E♭m
  She said, "I love you more than words can say."

                              B♭
  She said, "I love you bay - ay - ay - ay - ay - by."

Yes she did.

Rap

E♭m
  So now I'm up in the courts

Pleading my case from the witness box,

Telling the judge and the jury

The same thing that I said to the cops.

B♭
  On the day that I got arrested

"I'm innocent." I protested,

She just feels rejected,

Had her heart broken by someone she's obsessed with.

E♭m
  'Cause she likes the sound of my music,

Which makes her a fan of my music.

'S'why 'Love Goes Down' makes her lose it,

'Cause she can't seperate the man from the music.

B♭
  And I'm saying all this in the stand,

While my girl cries tears from the gallery.

This has got bigger than I ever could have planned,

Like that song by The Zutons, 'Valerie'.

G♭
  'Cept the jury don't look like they're buying it,

This is making me nervous.

cont.

B♭
    Arms crossed, screwed faced like I'm trying it,

Their eyes fixed on me like I'm murderous,

G♭
    They wanna lock me up

And throw away the key.

B♭
    They wanna send me down,

Even though I told them she...

Link 2 | E♭m | E♭m | E♭m | E♭m   ‖

Verse 3

E♭m
She said, "I love you boy, I love you so."

                                   B♭
She said, "I love you baby oh, oh, oh, oh,   oh."

Yes she did.

E♭m
    She said, "I love you more than words can say."

                               B♭
She said, "I love you bay - ay - ay - ay - by."

                                            E♭m
So I said, "Then why the hell you gotta treat me this way?

You don't know what love is,

                   B♭
You wouldn't do this if you   did."

             E♭m
No, no, no, no, oh.

One Way

Words & Music by Mark Chadwick, Simon Friend, Jonathan Sevink,
Jeremy Cunningham & Charles Heather

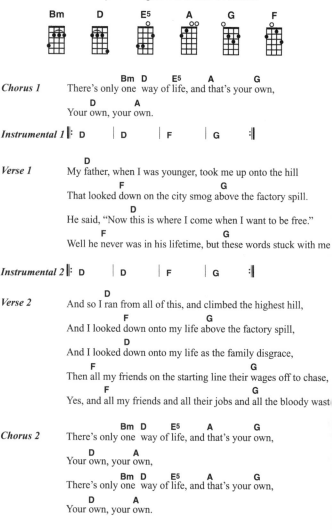

Chorus 1

        Bm D E5   A   G
There's only one way of life, and that's your own,

    D   A
Your own, your own.

Instrumental 1 ‖: D | D | F | G   :‖

Verse 1

      D
My father, when I was younger, took me up onto the hill

      F   G
That looked down on the city smog above the factory spill.

          D
He said, "Now this is where I come when I want to be free."

    F   G
Well he never was in his lifetime, but these words stuck with me

Instrumental 2 ‖: D | D | F | G   :‖

Verse 2

      D
And so I ran from all of this, and climbed the highest hill,

     F   G
And I looked down onto my life above the factory spill,

     D
And I looked down onto my life as the family disgrace,

    F   G
Then all my friends on the starting line their wages off to chase,

    F   G
Yes, and all my friends and all their jobs and all the bloody wast

Chorus 2

        Bm D E5   A   G
There's only one way of life, and that's your own,

    D   A
Your own, your own,

        Bm D E5   A   G
There's only one way of life, and that's your own,

    D   A
Your own, your own.

Instrumental 3 𝄆 D | D | F | G   𝄇 *Play 6 times*

Verse 3

                D
Well, well, well I grew up, learned to love and laugh,

Circled as on the underpass,

      F
But the noise we thought would never stop,

G
Died a death as the punks grew up.

      D
And we choked on our dreams, we wrestled with our fears,

      F
We're running through the heartless concrete streets,

G
Chasing our ideas. Run!

Instrumental 4 𝄆 D | D | F | G   𝄇

Verse 4

          D
And all the problems of this world won't be solved by this guitar

     F   **G**
And they won't stop coming either, by the life I've had so far.

     D
And the bright lights of my home town

Won't be getting any dimmer,

     F   **G**
Though their calling has receded like some old distant singer,

     F   **G**
And they don't look so appealing to the eyes of this poor sinner.

Chorus 3   As Chorus 2

Chorus 4   As Chorus 2

       Bm
That's your own.

Over The Rainbow/
What A Wonderful World

Over The Rainbow: Words by E.Y. Harburg • Music by Harold Arlen
What A Wonderful World: Words & Music by Bob Thiele & George Weiss

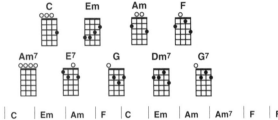

Intro | C | Em | Am | F | C | Em | Am | Am⁷ | F | F

C   Em   F   C
Ooh hoo, ooh hoo-hoo-hoo, ooh hoo hoo.
F   E⁷   Am   F
Ooh, ooh hoo hoo, ooh hoo hoo, ooh hoo hoo.

Verse 1

C   Em   F   C
Somewhere, over the rainbow, way up high.
F   C
And the dreams that you dream of
G   Am   F
Once in a lulla - by,   ay, ah, ay, oh.
C   Em   F   C
Somewhere, over the rainbow, bluebirds fly.
F   C
And the dreams that you dream of
G   Am   F
Dreams really do come true, hoo hoo,   ooh hoo hoo.

Link 1

                C
Some day I'll wish upon a star,

G   Am   F
Wake up where the clouds are far be - hind me.

        C
Where trouble melts like lemon drops,

G   Am   F
High above the chimney top that's where you'll find me, oh,

Verse 2
C   Em   F   C
Somewhere, over the rainbow, bluebirds fly.
F   C
And the dream that you dare to, oh,
G   Am F
Why, oh why, can't I?   Ay, ah, ay.

Verse 3
C   Em   F   C
Well I see trees of green and red roses too.
F   C   E7   Am
I'll watch them bloom for me and you.
F   G   Am   F
And I think to myself, what a wonderful world.
C   Em   F   C
Well I see skies of blue and I see clouds of white,
F   C E7   Am
And the brightness of day, I like the dark,
F   G   C   F C
And I think to myself, what a wonderful world.

Link 2
G   C
The colours of the rainbow, so pretty in the sky,
G   C
Are also on the faces of people passing by.
F   C   F   C
I see friends shaking hands, singing "How do you do?"
F   C   Dm7 G
They're really saying, "I, I love you."

Verse 4
C   Em   F   C
I hear babies cry and I watch them grow.
F   C E7   Am
They'll learn much more than we'll know.
F   G   Am
And I think to myself, what a wonderful world, world.

Link 3   As Link 1

Verse 5
C   Em   F   C
Somewhere, over the rainbow, way up high.
F   C
And the dreams that you dare to,
G7   Am F
Why, oh why, can't I?   Ay, ah, ay.
C   Em   F   C
Ooh hoo, ooh hoo hoo, ooh, hoo hoo.
F
Ooh… *To fade*

Pinball Wizard

Words & Music by Pete Townshend

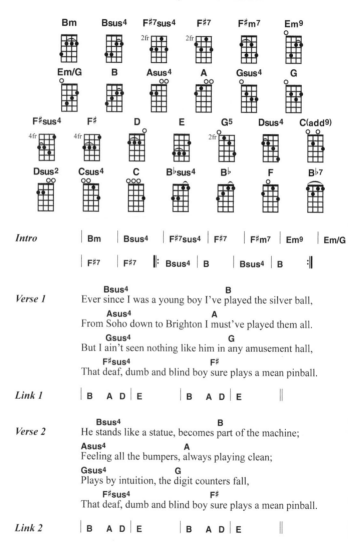

Intro
| Bm | Bsus⁴ | F♯7sus⁴ | F♯7 | F♯m⁷ | Em⁹ | Em/G |

| F♯7 | F♯7 ‖: Bsus⁴ | B | Bsus⁴ | B :‖

Verse 1

        Bsus⁴   B
Ever since I was a young boy I've played the silver ball,

        Asus⁴   A
From Soho down to Brighton I must've played them all.

        Gsus⁴   G
But I ain't seen nothing like him in any amusement hall,

        F♯sus⁴   F♯
That deaf, dumb and blind boy sure plays a mean pinball.

Link 1
| B A D | E | B A D | E ‖

Verse 2

        Bsus⁴   B
He stands like a statue, becomes part of the machine;

Asus⁴   A
Feeling all the bumpers, always playing clean;

Gsus⁴   G
Plays by intuition, the digit counters fall,

        F♯sus⁴   F♯
That deaf, dumb and blind boy sure plays a mean pinball.

Link 2
| B A | D | E | B A D | E ‖

Bridge 1

    E F♯ B   E F♯ B
He's a pin - ball wizard, there has to be a twist,

   E F♯ B   G5   D   Dsus4 D
A pin - ball wizard's got such a supple wrist.

D   C(add9) G D   C(add9) G
How do you think he does it? (I don't know)

D   C(add9) G D
What makes him so good?

Verse 3

Bsus4   B
Ain't got no distractions, can't hear no buzzers or bells.

Asus4   A
Don't see lights a-flashing, plays by the sense of smell;

Gsus4   G
Always gets a 'replay', never tilts at all;

  F♯sus4   F♯
That deaf, dumb and blind boy sure plays a mean pinball.

Link 3 | B A D | E | B A D | E   ‖

Bridge 2

    E   F♯ B   E F♯ B
I thought I was the bally-table king

    E F♯ B   G5   D   Dsus4 D
But I just handed my pinball crown to him.

Link 4   ‖: Dsus4 | D | Dsus4 | D   :‖

Verse 4

Dsus4   D
Even at my favourite table he can beat my best,

    Csus4   C
His disciples lead him in, and he just does the rest,

    B♭sus4   B♭
He's got crazy flipper fingers, never see him fall,

    Asus4   A
That deaf, dumb and blind boy sure plays a mean pinball.

Coda | D C F ‖: B♭7 | B♭7   :‖ *Repeat to fade*

151

Satellite Of Love

Words & Music by Lou Reed

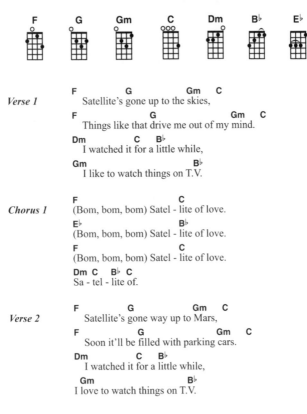

Verse 1

    F   G   Gm   C
Satellite's gone up to the skies,

    F   G   Gm C
Things like that drive me out of my mind.

  Dm   C   B♭
I watched it for a little while,

  Gm   B♭
I like to watch things on T.V.

Chorus 1

    F   C
(Bom, bom, bom) Satel - lite of love.

    E♭   B♭
(Bom, bom, bom) Satel - lite of love.

    F   C
(Bom, bom, bom) Satel - lite of love.

  Dm C   B♭ C
Sa - tel - lite of.

Verse 2

    F   G   Gm C
Satellite's gone way up to Mars,

    F   G   Gm C
Soon it'll be filled with parking cars.

  Dm   C   B♭
I watched it for a little while,

 Gm   B♭
I love to watch things on T.V.

Chorus 2   As Chorus 1

	F	C	Dm	C

Bridge

    F   **C**   **Dm**   **C**
I've been told that you've been bold

    B♭ **C**   **F**
With Harry, Mark and John.

           C   **Dm**   **C**
Monday and Tuesday, Wednesday through Thursday

    B♭ **C**   **F**
With Harry, Mark and John.

Verse 3

    F   **G**   **Gm** **C**
Satellite's gone up to the skies,

F   **G**   **Gm** **C**
Things like that drive me out of my mind.

Dm   **C** **B♭**
I watched it for a little while,

Gm   **B♭**
I love to watch things on T.V.

Chorus 3   As Chorus 1

Outro | **F** | **G** | **B♭** | **F** |

F   **G** **B♭** **F**
Satellite   of love.

         G **B♭**   **F**
Satellite   of love. (Ah, ah, ah, ah)

            G   **B♭**   **F**
Satellite (Ooh___) of love. (Ah, ah, ah, ah)

               G   **B♭**   **F**
‖: Satellite (Satel - lite) of love. (Ah, ah, ah, ah)

               G   **B♭**   **F**
Satellite (Satel - lite) of love. (Ah, ah, ah, ah) :‖ *Repeat to fade*

Someone Like You

Words & Music by Daniel Wilson & Adele Adkins

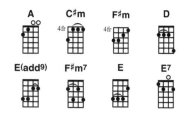

Intro | A | C#m | F#m | D ‖

Verse 1

     A   **C#m**
I   heard that you're   settled down,

       F#m   **D**
That you   found a girl and you're   married now.

A   **C#m**
  I heard that your dreams came true,

      F#m   **D**
Guess she gave you things I didn't give to you.

A   **C#m**
Old friend, why are you so   shy?

      F#m   **D**
Ain't like you to hold back or hide from the light.

Pre-chorus 1

     E(add9)   **F#m7**
I hate to turn up out of the blue uninvited,

       D
But I   couldn't stay away, I couldn't fight it.

     E(add9)   **F#m7**
I had hoped you'd see my face and that you'd be reminded

     D
That for me it isn't over.

orus 1

  A   E   F♯m D
   Never mind, I'll find someone like you,

   A   E   F♯m D
I wish nothing but the best for you two.

     A   E   F♯m   D
Don't for - get me, I beg, I'll re - member you said,

      A   E   F♯m D
"Sometimes it lasts and loves, but sometimes it hurts in - stead.___

       A   E   F♯m D
Sometimes it lasts and loves, but sometimes it hurts in - stead."___

rse 2

A   C♯m
 You know how the   time flies,

 F♯m   D
Only yesterday was the time of our lives.

   A   C♯m
We were born and raised in a   summer haze,

   F♯m   D
Bound by the surprise of our glory days.

e-chorus 2

 E(add9)   F♯m7
I hate to turn up out of the blue uninvited,

   D
But I couldn't stay away, I couldn't fight it.

  E(add9)   F♯m7
I had hoped you'd see my face and that you'd be reminded

   D
That for me it isn't over.

orus 2

 A   E   F♯m D
  Never mind, I'll find someone like you,

  A   E   F♯m D
I wish nothing but the best for you two.

    A   E   F♯m   D
Don't for - get me, I beg, I'll re - member you said,

     A   E   F♯m D
"Sometimes it lasts and loves, but sometimes it hurts in - stead."___

Bridge

       E
Nothing compares, no worries or cares,

       F#m
Re - grets and mistakes, they are memories made.

       D   E   A   D   E7
Who would have known how bitter - sweet this would taste?

Chorus 3

A   E   F#m   D
  Never mind, I'll find someone like you,___

    A   E   F#m D
I wish nothing but the best for you.___

       A   E   F#m   D
Don't for - get me, I beg, I'll re - member you said,

            A   E   F#m   D
"Sometimes it lasts and loves, but sometimes it hurts in - stead."___

Chorus 4

A   E   F#m   D
  Never mind, I'll find someone like you,

    A   E   F#m D
I wish nothing but the best for you two.

       A   E   F#m   D
Don't for - get me, I beg, I'll re - member you said,

           A   E   F#m D
"Sometimes it lasts and loves, but sometimes it hurts in - stead.___

     A
Sometimes it lasts and loves,

  E   F#m   D E F#m D A
But sometimes it hurts in - stead."___

Tonight You Belong To Me

Words & Music by Billy Rose & Lee David

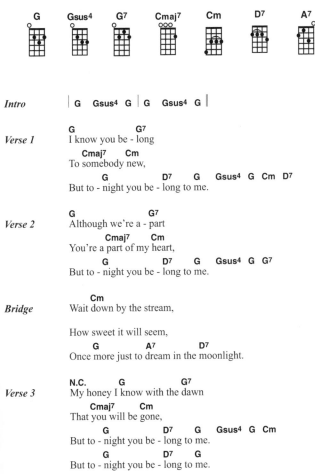

| G | Gsus⁴ | G⁷ | Cmaj⁷ | Cm | D⁷ | A⁷ |

Intro ‖ G Gsus⁴ G ‖ G Gsus⁴ G ‖

Verse 1

G   G⁷
I know you be - long
   Cmaj⁷   Cm
To somebody new,
      G   D⁷   G   Gsus⁴ G Cm D⁷
But to - night you be - long to me.

Verse 2

G   G⁷
Although we're a - part
   Cmaj⁷   Cm
You're a part of my heart,
      G   D⁷   G   Gsus⁴ G G⁷
But to - night you be - long to me.

Bridge

     Cm
Wait down by the stream,

How sweet it will seem,
     G   A⁷   D⁷
Once more just to dream in the moonlight.

Verse 3

N.C.   G   G⁷
My honey I know with the dawn
   Cmaj⁷   Cm
That you will be gone,
      G   D⁷   G   Gsus⁴ G Cm
But to - night you be - long to me.
      G   D⁷   G
But to - night you be - long to me.

S.O.S.

Words & Music by Benny Andersson, Stig Anderson & Björn Ulvaeus

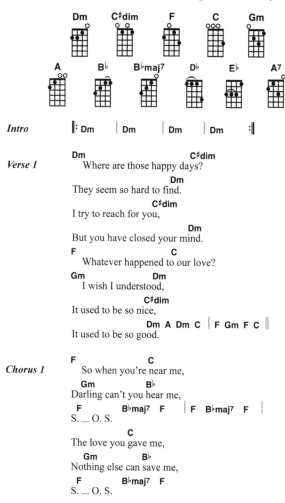

Intro ‖: Dm │ Dm │ Dm │ Dm :‖

Verse 1

```
        Dm                                   C#dim
        Where are those happy days?
                                   Dm
        They seem so hard to find.
                          C#dim
        I try to reach for you,
                                   Dm
        But you have closed your mind.
        F                    C
          Whatever happened to our love?
        Gm                   Dm
          I wish I understood,
                          C#dim
        It used to be so nice,
                          Dm A Dm C │ F Gm F C ‖
        It used to be so good.
```

Chorus 1

```
        F                    C
          So when you're near me,
        Gm                   B♭
        Darling can't you hear me,
          F         B♭maj7  F   │ F  B♭maj7  F  │
        S. _ O. S.
                             C
        The love you gave me,
          Gm                 B♭
        Nothing else can save me,
          F         B♭maj7  F
        S. _ O. S.
```

cont.

              B♭
When you're gone,
        D♭   **E**♭   **F**
How can I __ even try to go on?
           B♭
When you're gone,
       D♭   **E**♭   **F**
Though I try, how can I __ carry on?

Verse 2

Dm   **C**♯**dim**
  You seem so far away,
               Dm
Though you are standing near.
         C♯**dim**
You made me feel alive,
          Dm
But something died I fear.
F   **C**
  I really tried to make it out,
Gm   **Dm**
  I wish I understood.
              C♯**dim**
What happened to our love,
         Dm A Dm C | **F Gm F C** ‖
It used to be so good?

Chorus 2   As Chorus 1

Link | **Dm** | **A7** | **Dm** | **Dm** | **A7** | **Dm A F C** ‖

Chorus 3   As Chorus 1

Outro

F   **B**♭
  When you're gone,
        D♭   **E**♭   **F**
How can I __ even try to go on?
           B♭
When you're gone,
       D♭   **E**♭   **F**
Though I try, how can I __ carry on?

| **Dm** | **Dm** | **Dm** ‖

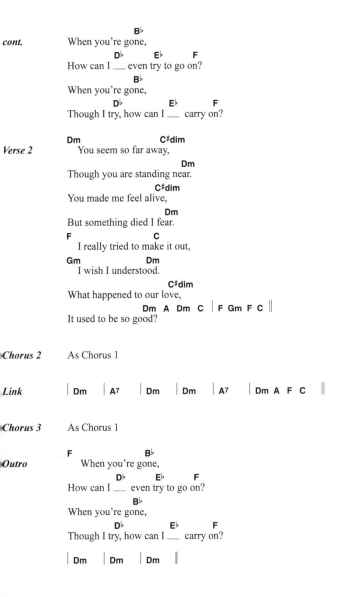

Sugar Man

Words & Music by Sixto Diaz Rodriguez

Am   Am(maj7)   Dm7   E   Dsus2

E7   C   D7   F   B♭

Intro
| Am | Am(maj7) | Dm7 | E |

| E | E   ‖

Verse 1

  E   Am   Am(maj7)   Dsus2
Sugar man,   won't you hurry,

E   Dsus2   E7   Am
'Cause I'm tired   of these scenes.

             Am(maj7)   Dsus2   E7
For a blue coin   won't you bring back

         Dsus2   E7   Am
All those colours   to my dreams?

Chorus 1

C   Am   D7   F
Silver magic ships you carry,

C   Am   F   B♭
   Jumpers, coke, sweet Mary Jane.

Verse 2

  E   Am   Am(maj7) Dsus2
Sugar man   met a   false friend

E   Dsus2   E7   Am
 On a lonely   dusty road.

           Am(maj7)   Dsus2   E7
Lost my heart,   when I found it

        Dsus2   E7   Am
It had turned to dead black coal.

Chorus 2   As Chorus 1

	E Am Am(maj7) Dsus2
Verse 3	Sugar man, you're the answer

E   Am Am(maj7)   Dsus2
Sugar man,   you're the answer

E   Dsus2   E7   Am
That makes my questions   disap - pear.

Am(maj7)   Dsus2   E7
Sugar man,   'cause I'm weary

Dsus2 E7   Am   Am(maj7) Dm7
Of those double games I hear.

Bridge

E   Am Am(maj7) Dsus2 E7   Am Am(maj7) Dm7 E7
Sugar man,   sugar man,   sugar man,   sugar man,

Am Am(maj7) Dsus2 E7   Am Am(maj7) Dm7 E7
Sugar man,   sugar man,   sugar man,   sugar man.

Instrumental

Am	Am(maj7)	Dm7	E	
Am	Am(maj7)	Dm7	E	
E	E	E	Am	
Am	Am	Am	Am	
Am	Am			

Verse 4   As Verse 1

Chorus 3   As Chorus 1

Verse 5   As Verse 2

Chorus 4   As Chorus 1

Verse 6   As Verse 3   *To fade*

Suspicion

Words & Music by Doc Pomus & Mort Shuman

D   Em7   Bm   A7

To match original recording tune ukulele slightly sharp

Intro ‖: D | D | Em7 | Em7 :‖

Verse 1

D
Everytime you kiss me

                            Em7
I'm still not certain that you   love me.

Every time you hold me

                            D
I'm still not certain that you   care.

Though you keep on saying

                  Em7
You really, really, really love me,

Do you speak the same words

                            D
To someone else when I'm not   there?

Chorus 1

      Bm   D
Suspicion torments my heart,

      Bm   D
Suspicion keeps us apart;

      Bm   A7
Suspicion, why torture me?

	D
Verse 2	Everytime you call me

D
Verse 2   Everytime you call me

                               Em⁷
And tell me we should meet tomorrow,

I can't help but think that

                       D
You're meeting someone else tonight.

Why should our romance just

                 Em⁷
Keep on causing me such   sorrow?

Why am I so doubtful

                   D
Whenever you are out of sight?

Chorus 2   As Chorus 1

D
Verse 3   Darling, if you love me,

               Em⁷
I beg you wait a little longer,

Wait until I drive all

                  D
These foolish fears out of my mind.

How I hope and pray that

                   Em⁷
Our love will keep on growing   stronger.

Maybe I'm suspicious

                  D
'Cause true love is so hard to find.

Chorus 3   As Chorus 1

Coda | D | D | Em⁷ | Em⁷ | D   ‖
                                                Fade out

Theme From 'Shaft'

Words & Music by Isaac Hayes

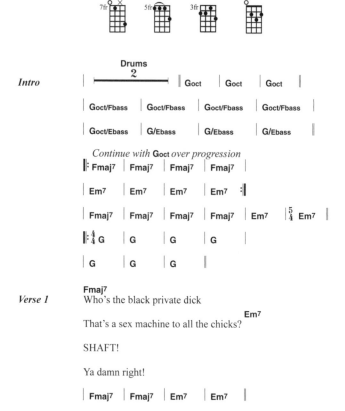

Intro

| | Goct | | Goct | | Goct ‖

| Goct/Fbass | Goct/Fbass | Goct/Fbass | Goct/Fbass |

| Goct/Ebass | G/Ebass | G/Ebass | G/Ebass ‖

Continue with **Goct** *over progression*

‖: Fmaj⁷ | Fmaj⁷ | Fmaj⁷ | Fmaj⁷ |

| Em⁷ | Em⁷ | Em⁷ | Em⁷ :‖

| Fmaj⁷ | Fmaj⁷ | Fmaj⁷ | Fmaj⁷ | Em⁷ | ⁵⁄₄ Em⁷ ‖

‖: ⁴⁄₄ G | G | G | G |

| G | G | G ‖

Verse 1

Fmaj⁷
Who's the black private dick

Em⁷
That's a sex machine to all the chicks?

SHAFT!

Ya damn right!

| Fmaj⁷ | Fmaj⁷ | Em⁷ | Em⁷ ‖

Verse 2

Fmaj7
Who is the man that would risk his neck

　　　　　　　Em7
For his brother man?

SHAFT!

Can you dig it?

| **Fmaj7** | **Fmaj7** | **Em7** | **Em7** ‖

Verse 3

Fmaj7
Who's the cat that won't cop out

When there's danger all about?
Em7
　SHAFT!

Right On!

Verse 4

Fmaj7
　They say this cat Shaft is a bad mother

SHUT YOUR MOUTH!
Em7
　I'm talkin' 'bout Shaft.

Then we can dig it!

Verse 5

　　　　Fmaj7
He's a complicated man

　　　　　　　　Em7
But no one understands him but his woman

JOHN SHAFT!

Outro

| $\frac{7}{4}$ **G** | **G** ‖

| $\frac{4}{4}$ **Fmaj7** | **Fmaj7** | **Goct** | **Goct** |

| **Fmaj7** | **Fmaj7** | **Em7** | **Em7** | **Fmaj7** ‖

There She Goes

Words & Music by Lee Mavers

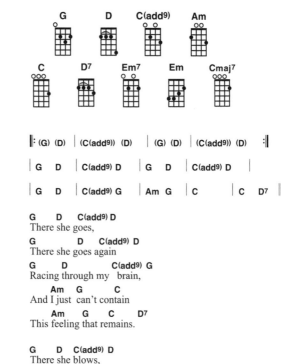

Intro

‖: (G) (D) | (C(add9)) (D) | (G) (D) | (C(add9)) (D) :‖

| G   D | C(add9) D | G   D | C(add9) D |

| G   D | C(add9) G | Am   G | C | C   D7 ‖

Verse 1

G   D   C(add9) D
There she goes,

G   D   C(add9) D
There she goes again

G   D   C(add9) G
Racing through my   brain,

    Am   G   C
And I just can't contain

    Am   G   C   D7
This feeling that remains.

Verse 2

G   D C(add9) D
There she blows,

G   D   C(add9) D
There she blows again

G   D   C(add9) G
Pulsing through my   vein,

    Am G   C
And I just can't contain

    Am   G   C   D7
This feeling that remains.

| G D | C(add9) D | G D | C(add9) D | G D |
| C(add9) G | Am G | C | Am G | C | C D7 ||

ridge

Em7   C
There she goes,

Em7   C
There she goes again:

    D   D7 G
She calls my name,

D   D7 Cmaj7
Pulls my train,

D   D7 G   D   D7 Cmaj7
No-one else could heal my pain.

    Am   Em
But I just can't contain

    C   D7
This feeling that remains.

rse 3

G   D C(add9) D
There she goes,

G   D C(add9) D
There she goes again

G   D   C(add9) G
Chasing down my lane

    Am G   C
And I just can't contain

    Am   G   C   D7
This feeling that remains.

da

G   D C(add9) D
There she goes,

G   D C(add9) D
There she goes,

G   D C D   G
There she goes a - gain.

Tip Toe Through The Tulips With Me

Words by Al Dubin
Music by Joe Burke

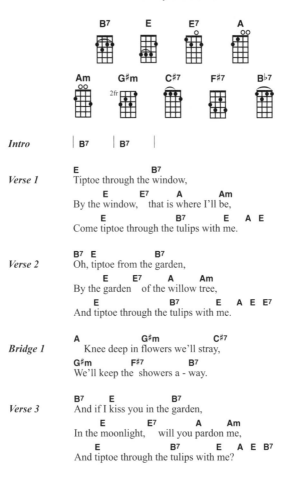

Intro | B7 | B7 |

Verse 1
E   B7
Tiptoe through the window,
         E   E7   A   Am
By the window,   that is where I'll be,
        E   B7   E A E
Come tiptoe through the tulips with me.

Verse 2
B7 E   B7
Oh, tiptoe from the garden,
         E   E7   A   Am
By the garden   of the willow tree,
        E   B7   E A E E7
And tiptoe through the tulips with me.

Bridge 1
     A   G#m   C#7
  Knee deep in flowers we'll stray,
G#m   F#7   B7
We'll keep the showers a - way.

Verse 3
B7   E   B7
And if I kiss you in the garden,
      E   E7   A   Am
In the moonlight,   will you pardon me,
      E   B7   E A E B7
And tiptoe through the tulips with me?

| E | B7 | E E7 | A Am |

           | E | B7 | E A | E E7 ‖

Bridge 2

A   G♯m   C♯7
     Knee deep in flowers we'll stray,

G♯m   F♯7   B7
We'll keep the showers a - way.

Verse 4

B7   E   B7
And if I kiss you in the garden,

     E   E7   A   Am
In the moonlight,   will you pardon me,

     E   B7   E   E7 A B♭7 B7 E
And tiptoe through the tulips with me?

Wagon Wheel

Words & Music by Bob Dylan & Ketch Secor

| A | E | F#m | D |

Intro

‖: A | E | F#m | D |

| A | E | D | D   :‖

Verse 1

A
Headed down south to the land of the pines,
          F#m   D
And I'm thumbing my way into North Caroline,
A   E   D
Staring up the road and pray to God I see headlights.
   A   E
I made it down the coast in seventeen hours,
F#m   D
Picking me a bouquet of dogwood flowers,
      A   E   D
And I'm hoping for Raleigh I can see my baby to - night.

Chorus 1

     A   E
So rock me mama, like a wagon wheel,
F#m   D
Rock me mama, any - way you feel,
A   E   D
Hey,   mama, rock me.
A   E
Rock me mama, like the wind and the rain
F#m   D
Rock me mama, like a south-bound train
A   E   D
Hey,   mama, rock me.

Link 1

| A | E | F#m | D |

| A | E | D | D |

Verse 2

  A   **E**
Running from the cold up in New England,

     F♯m   **D**
I was born to be a fiddler in an old-time stringband,

    A   **E**   **D**
My baby plays the guitar,   I pick a banjo now.

        A   **E**
Oh, the north country winters keep a-getting me now,

     F♯m   **D**
Lost my money playing poker so I had to up and leave,

    A   **E**   **D**
But I ain't a-turning back to living that old life no more.

Chorus 2   As Chorus 1

Link 2   ‖: A | E | F♯m | D |

            | A | E | D | D   :‖

Verse 3

  A   **E**
Walking to the south out of Roanoke,

      F♯m   **D**
I caught a trucker out of Philly, had a nice long toke,

    A   **E**
But he's a-headed west from the Cumberland Gap

    D
To Johnson City, Tennessee.

     A   **E**
And I gotta get a move on fit for the sun,

     F♯m
I hear my baby calling my name

    D
And I know that she's the only one,

    A   **E**   **D**
And if I die in Raleigh at least I will die free.

A   **E**
So rock me mama, like a wagon wheel,

F♯m   **D**
Rock me mama, any - way you feel,

A   **E**   **D**
Hey,   mama, rock me.

A   **E**
Rock me mama, like the wind and the rain

F♯m   **D**
Rock me mama, like a south-bound train

A   **E**   **D**   **A**
Hey,   mama, rock me.

We Are The People

Words & Music by Jonathan Sloan, Nicholas Littlemore & Luke Steele

Em   Bm11   Cmaj7   Am   C/D   Dmaj7

Intro

| Em | Em | Bm11 | Bm11 | |
| Cmaj7 | Cmaj7 | Em | Bm11 |

Verse 1

Em
We can remember   **Bm11** swimming in December,

Cmaj7
  Heading for the city lights   **Em** in nineteen **Bm11** seventy-five.

Em
  We shared each other   **Bm11** and nearer than farther,

Cmaj7
  The scent of a lemon **Em** drips from your **Bm11** eyes.

Verse 2

Em
  We are the people that rule the world,

Bm11
  A force running in every boy and girl.

Cmaj7
  All rejoicing in the **Am** world, take me now,

Bm11
  We can try.

Verse 3

Em   **Bm11**
We lived an adventure,   love in the summer.
Cmaj7
Followed the sun till night,
Am   **Bm11**   **Em**
Reminiscing other times of life.

                                    Bm11
For each every other,   the feeling was stronger,
Cmaj7   **Am**   **Bm11**
The shock hit eleven, we got lost in your eyes.

Chorus 1

Cmaj7   **Em**
I can't do well when I think you're gonna leave me,
          C/D
But I know I try.

                    Cmaj7   **Em**
Are you gonna leave me now?
                    Dmaj7
Can't you be be - lieving now?
Cmaj7   **Em**
I can't do well when I think you're gonna leave me,
          C/D
But I know I try.

                    Cmaj7   **Em**
Are you gonna leave me now?
                    Dmaj7
Can't you be be - lieving now?

Verse 4

Em
Can you remember the human life,
Bm11   **Cmaj7**
It was still where we'd energize.

                              Am   **Bm11**   **Em**
Lie in the sand and visualize like it's seventy-five a - gain.
Em
We are the people that rule the world,
Bm11
A force running in every boy and girl.
Cmaj7   **Am**
All rejoicing in the world, take me now.
Bm11
We can try.

Chorus 2   As Chorus 1

| | Em   Bm11 |
| *Bridge* | I know everything about you, |

                                                Cmaj7

Em   **Bm11**
I know everything about you,

                                  Cmaj7
Know everything about me,

                              Am **Bm11**
Know everything about us.

Em   **Bm11**
I know everything about you,

                                  Cmaj7
Know everything about me,

                              Am **Bm11**
Know everything about us.

| | **Cmaj7**   **Em** |
| *Chorus 3* | ‖: I can't do well when I think you're gonna leave me, |

                  C/D
But I know I try.

                          Cmaj7   **Em**
Are you gonna leave me now?

                          Dmaj7
Can't you be be - lieving now? :‖ *Repeat 4 times to fade*

We Have All The Time In The World

Words by Hal David
Music by John Barry

Intro | A | F#m | A | F#m ‖

Verse 1
(F#m)   A   F#m   E
We have all the time in the world,

Em   Bm
   Time enough for life

       E   A
To un - fold all the precious things

          E7
Love has in store.

Verse 2
(E7)   A   F#m   E
We have all the love in the world,

Em   Bm
   If that's all we have,

     E
You will find

            A
We need nothing more.

Bridge 1
(A)   C   Bb   Fmaj7   Bb
Every step of the way will find us

         Ab   Db   E7
With the cares of the world far be - hind us.

Verse 3

(E7)   A   F♯m   E
We have all the time in the world,

     Em
Just for love,

     F♯m   Bm7
Nothing more, nothing less,

     A   F♯m
Only love.

Instrumental | A | F♯m | A | F♯m |

             | A | F♯m | A | F♯m   ‖

Bridge 2

A   C   B♭   Fmaj7 B♭
  Every step of the way will find us

       A♭   D♭   E7
With the cares of the world far be - hind us, yes.

Verse 4

(E7)   A   F♯m   E
We have all the time in the world,

     Em
Just for love,

     F♯m   Bm7
Nothing more, nothing less,

     A   F♯m
Only love.

Outro | A | F♯m | A | F♯m |

       | A | F♯m | A | F♯m   ‖

A
  Only love.

Weather With You

Words & Music by Neil Finn & Tim Finn

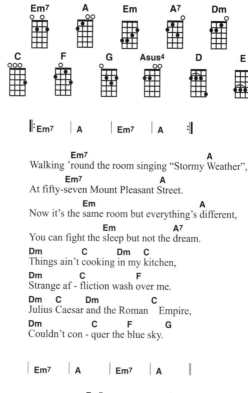

Intro   ‖: Em⁷ | A | Em⁷ | A   :‖

Verse 1
　　　　Em⁷
Walking 'round the room singing "Stormy Weather",
　　　　Em⁷   A
At fifty-seven Mount Pleasant Street.
　　　　　　Em   A
Now it's the same room but everything's different,
　　　　　　Em   A⁷
You can fight the sleep but not the dream.
Dm   C   Dm   C
Things ain't cooking in my kitchen,
Dm   C   F
Strange af - fliction wash over me.
Dm   C   Dm   C
Julius Caesar and the Roman   Empire,
Dm   C   F   G
Couldn't con - quer the blue sky.

Link 1 | Em⁷ | A | Em⁷ | A   ‖

Verse 2
　　　　　　Em⁷   A
Well, there's a small boat made of china,
　　　　　Em⁷   A
It's going nowhere on the mantel - piece.
　　　　　Em   A
Well, do I lie like a lounge-room lizard,
　　　　Em   A⁷
Or do I sing like a bird re - leased?

Chorus 1

              Asus⁴   **D**
Everywhere you go you always take the weather with you,
              Asus⁴   **D**
Everywhere you go you always take the weather.
              Asus⁴   **G**
Everywhere you go you always take the weather with you,
              D   **G**
Everywhere you go you always take the weather,
     A
The weather with you.

Link 2   **‖:Em⁷** | **A** | **Em⁷** | **A**   :‖

Chorus 2

              Asus⁴   **D**
Everywhere you go you always take the weather with you,
              Asus⁴   **D**
Everywhere you go you always take the weather.
              Asus⁴   **G**
Everywhere you go you always take the weather with you,
              D   **E**
Everywhere you go you always take the weather,
      G   **A**   **D**
Take the weather, take the weather with you.

Link 3   **‖:Em⁷** | **A** | **Em⁷** | **A**   :‖

Chorus 3   As Chorus 2 *(w/ vocal ad. lib)*

179

While My Guitar Gently Weeps

Words & Music by George Harrison

Am	Am⁷	D⁹

Intro | Am | Am⁷ | D⁹ | F |

          | Am | G | D | E ||

Verse 1
     Am   Am⁷   D⁹   F
I look at you all, see the love there that's sleeping,
   Am   G   D   E
    While my guitar gently weeps.
     Am   Am⁷   D⁹   F
I look at the floor, and I see it needs sweeping,
   Am   G   C   E
    Still my guitar gently weeps.

Bridge 1
     A   C♯m F♯m   C♯m
    I don't know why   nobody told you
   Bm   E
    How to unfold your love.
   A   C♯m F♯m   C♯m
    I don't know how   someone controlled you,
   Bm   E
    They bought and sold you.

Verse 2
     Am   Am⁷   D⁹   F
I look at the world and I notice it's turning,
   Am   G   D   E
    While my guitar gently weeps.
     Am   Am⁷   D⁹   F
With every mistake, we must surely be learning,
   Am   G   C   E
    Still my guitar gently weeps.

Solo		Am		Am⁷		D⁹		F	

Solo

Am	Am⁷	D⁹	F	
Am	G	D	E	
Am	Am⁷	D⁹	F	
Am	G	C	E	‖

Bridge 2

A   C#m F#m   C#m
  I don't know how   you were diverted,
Bm   E
  You were perverted too.
A   C#m F#m   C#m
  I don't know how   you were inverted,
Bm   E
  No-one alerted you.

Verse 3

    Am   Am⁷   D⁹   F
I look at you all, see the love there that's sleeping,
Am   G   D   E
  While my guitar gently weeps.
    Am   Am⁷   D⁹   F
I look at you all.
Am   G   C   E
  Still my guitar gently weeps. _____

Outro

Am	Am⁷	D⁹	F	
Am	G	D	E	
Am	Am⁷	D⁹	F	
Am	G	C	E	
‖: Am	Am⁷	D⁹	F	
Am	G	C	E	:‖ *Repeat to fade*

Whiskey In The Jar

Traditional
Arranged by Phil Lynott, Brian Downey & Eric Bell

G   F   Em   C   D

Intro | N.C. G F | Em | Em | G | G   F |

| Em | Em | G | G |

Verse 1
     G   Em
As I was goin' over the Cork and Kerry mountains
    C   G
I saw Captain Farrell and his money he was countin'.
                    Em
I first produced my pistol and then produced my rapier
   C   G
I said "Stand and deliver or the devil he may take ya."

Chorus 1
      D
Musha ray dum a doo dum a da
 C
   Whack for my daddy-o,

Whack for my daddy-o
       G   F
There's whiskey in the jar-o.

Instrumental 1 | Em | Em | G | G   F | Em | Em | G | G

Verse 2
    G   Em
I took all of his money and it was a pretty penny
   C   G
I took all of his money and I brought it home to Molly.
                   Em
She swore that she'd love me, never would she leave me
   C   G
But the devil take that woman for you know she trick me easy.

Chorus 2

D
Musha ray dum a doo dum a da
C
   Whack for my daddy-o,

Whack for my daddy-o
G   **F**
There's whiskey in the jar-o.

Guitar Solo

Em	Em	G	G	Em	Em	C	C	
G	G	G	G	Em	Em	C	C	
G	G	D	D	C	C	C	C	
G	G F	Em	Em	G	
G F	Em	Em	G	G	

Verse 3

G   **Em**
Being drunk and weary I went to Molly's chamber
C   **G**
Takin' my money with me and I never knew the danger.
                      Em
For about six or maybe seven in walked Captain Farrell
       C   **G**
I jumped up, fired off my pistols and I shot him with both barrels.

Chorus 3

D
Musha ray dum a doo dum a da
C
   Whack for my daddy-o,

Whack for my daddy-o
G   **F**
There's whiskey in the jar-o.

Instrumental 2 | Em | Em | G | G | F | Em | Em | G | G | |

Verse 4
      G   **Em**
Now some men like the fishin' and some men like the fowlin',

  C   **G**
And some men like to hear a cannon ball a roarin'.

                 Em
Me, I like sleepin' especially in my Molly's chamber,

    C   **G**
But here I am in prison, here I am with a ball and chain, yeah.

Chorus 4
       D
Musha ray dum a doo dum a da

C
   Whack for my daddy-o,

Whack for my daddy-o

    G   **F**
There's whiskey in the jar-o.

Outro   ‖: Em | Em | G | G   F :‖   *Repeat to*

You Always Hurt The One You Love

Words & Music by Doris Fisher & Allan Roberts

Bb   Gm7   Bbmaj7   Eb   F7   C7

Intro | Bb | Bb   Bb6 | Bb   Bb6 | Bb   ‖

Verse

   Bb   Bbmaj7   Bb6
   You always hurt the ones you love,

   Bb   Eb
The one you shouldn't hurt at all.

      F7
You always take the sweetest rose

             Bb
And crush it until the petals fall.

      Bbmaj7 Eb
You always break   the kindest hearts

      C7   F
And with a hasty word you can't re - call.

Bb   Bbmaj7 Eb
  And if I broke   your heart last night,

     C7 F7   Bb
It's be - cause   I love you most of all.

Winter Winds

Words & Music by Mumford & Sons

C   G   D   Em

Intro
```
| C     | G     | C  G  | D     | D      |
| C     | G     | C  G  | D     |
| G  C  | G  C  | G  C  | G     ||
```

Verse 1

G   D   C
As the winter winds litter London with lonely hearts,
        G   D   Em C
Oh, the warmth in your eyes swept me into your arms.
          G   D   Em   C
Was it love or fear of the cold that lead us through the night?
      G   D   Em   C
For every kiss your beauty trumped my doubt.

Chorus 1

C   G   C G D
And my head told my heart: "Let love grow,"
           C   G   C G D   G C G C G C
But my heart told my head: "This time no, this time no."

Verse 2

G   D   Em   C
We'll be washed and buried one day my girl
          G   D   Em   C
And the time we were given will be left for the world.
        G   D   Em   C
The flesh that lived and loved will be eaten by plague,
        G   D   Em   C
So let the memo - ries be good for those who stay, hey.

N.C.   **C**   **G**   **C** **G** **D**
And my head told my heart: "Let love grow,"

      C   **G**   **C** **G** **D**
But my heart told my head: "This time no."

       C   **G**   **C** **G** **D**   **G C G C G C G**
Yes, my heart told my head: "This time no, this time no."

G   **D**   **Em**   **C**
Oh, the shame that sent me off from the God that I once loved

      G   **D**   **C**
Was the same that sent me into your arms.

      G   **D**   **Em**   **C**
Oh, and pestilence is won when you are lost and I am gone

   G   **D**   **C**
And no hope, no hope will over - come.

  G   **D**   **Em** **C**
But if your strife strikes at your sleep,

    G   **D**   **Em**   **C**
Re - member spring swaps snow for leaves.

G   **D**   **Em**   **C**
You'll be happy and wholesome a - gain

     G **D**   **Em**   **C**
When the city clears and sun as - cends, hey.

| **N.C. C** | **G** | **C G** | **D** | **D** | |
| **C** | **G** | **C G** | **D** | **D** | |

D   **C**   **G**   **C** **G** **D**
And my head told my heart: "Let love grow,"

      C   **G**   **C** **G** **D**
But my heart told my head: "This time no."

      C   **G**   **C** **G** **D**
And my head told my heart: "Let love grow,"

    C   **G**   **C** **G** **D**   **C**
But my heart told my head: "This time no, this time no."

    G
Oh.____

You Wear It Well

Words & Music by Rod Stewart & Martin Quittenton

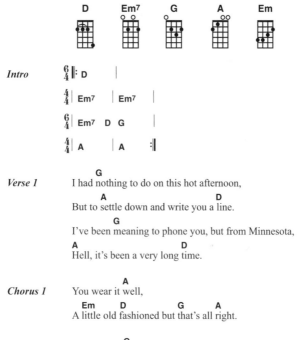

D	Em⁷	G	A	Em

Intro $\frac{6}{4}$ ‖: D |

$\frac{4}{4}$ | Em⁷ | Em⁷ |

$\frac{6}{4}$ | Em⁷ D G |

$\frac{4}{4}$ | A | A :‖

Verse 1
         G
I had nothing to do on this hot afternoon,
       A   **D**
But to settle down and write you a line.
         G
I've been meaning to phone you, but from Minnesota,
A   **D**
Hell, it's been a very long time.

Chorus 1
          A
You wear it well,
   Em   **D**   **G**   **A**
A little old fashioned but that's all right.

Verse 2
          G
Well I sup - pose you're thinking I bet he's sinking,
       A   **D**
Or he wouldn't get in touch with me.
       G
Oh I ain't begging or losing my head,
  A   **D**
I sure do want you to know,

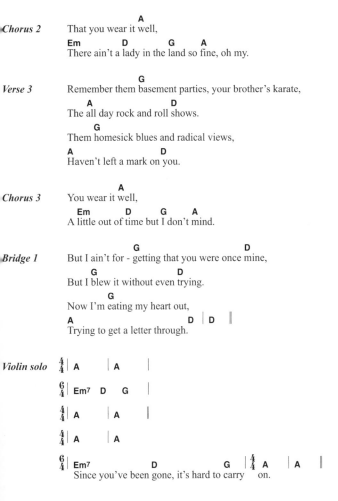

Chorus 2

                   A
That you wear it well,

  Em   **D**   **G**   **A**
There ain't a lady in the land so fine, oh my.

Verse 3

               G
Remember them basement parties, your brother's karate,

     A   **D**
The all day rock and roll shows.

     G
Them homesick blues and radical views,

 A   **D**
Haven't left a mark on you.

Chorus 3

        A
You wear it well,

  Em   **D**   **G**   **A**
A little out of time but I don't mind.

Bridge 1

            G   **D**
But I ain't for - getting that you were once mine,

     G   **D**
But I blew it without even trying.

       G
Now I'm eating my heart out,

 A   **D** | **D** ‖
Trying to get a letter through.

Violin solo $\frac{4}{4}$| **A** | **A** |

               $\frac{6}{4}$| **Em7** **D**   **G** |

               $\frac{4}{4}$| **A** | **A**   ‖

               $\frac{4}{4}$| **A** | **A**

               $\frac{6}{4}$| **Em7**   **D**   **G** |$\frac{4}{4}$ **A** | **A**   ‖
                Since you've been gone, it's hard to carry   on.

Verse 4   **G**

I'm gonna write about the birthday gown that I bought in town,

        A   **D**

When you sat down and cried on the stairs.

                      G

You knew it did not cost the earth, but for what it's worth,

      A   **D**

You made me feel a million - naire,

                  A

Chorus 4   And you wear it well,

     Em   **D**   **G**   **A**

Madame On - assis got nothing on you, no, no.

                  G

Verse 5   Anyway, my coffee's cold and I'm getting told,

          A   **D**

That I gotta get back to work.

              G

So when the sun goes low and you're home all alone,

A   **D**

Think of me and try not to laugh,

                A

Chorus 5   And I wear it well,

     Em   **D**   **G**   **A**

I don't ob - ject if you call col - lect.

               G   **D**

Bridge 2   'Cause I ain't for - getting that you were once mine,

        G   **D**

But I blew it without even trying.

        G

Now I'm eating my heart out,

        A

Trying to get back to you.

Outro $\frac{6}{4}$ ‖: D |

$\frac{4}{4}$| Em⁷ | Em⁷ |

$\frac{6}{4}$| Em⁷   D   G |

$\frac{4}{4}$| A | A   ‖

$\frac{4}{4}$| Em⁷ | Em⁷ |
I love you, I love you, I love you, I love you,

$\frac{6}{4}$| Em⁷   D   G |

$\frac{4}{4}$| A | A   ‖
     Oh yeah.

$\frac{6}{4}$| D |

$\frac{4}{4}$| Em⁷ | Em⁷ |

$\frac{6}{4}$| Em⁷   D   G |

$\frac{4}{4}$| A | A   ‖

$\frac{6}{4}$| D | $\frac{4}{4}$ Em⁷ | Em⁷ ‖
After all the years I hope it's the same ad - dress,

$\frac{6}{4}$| Em⁷   D   G |

$\frac{4}{4}$| A | A   ‖

$\frac{6}{4}$| D | $\frac{4}{4}$ Em⁷ | Em⁷ ‖
Since you've been gone, it's hard to carry   on.

$\frac{6}{4}$| Em⁷   D   G |

$\frac{4}{4}$| A | A   :‖ *Repeat to fade*

1 2 3 4 5 6 7 8 9

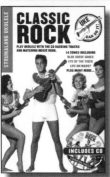